KU-680-603

single malt
Whisky

Alle informatie voor de liefhebber

single malt Whisky

Alle informatie voor de liefhebber

HELEN ARTHUR

Librero

Oorspronkelijke titel: The Single Malt Whisky Companion

LAY-OUT Isobel Gillan
FOTOGRAFIE Paul Forrester, Laura Wickenden, Colin Bowden
ILLUSTRATIES Michael Hill, Richard Chasemore
VERTALING Liesbeth Machielsen
REDACTIE Martha Cazemier
PRODUCTIE TextCase, Groningen
ZETWERK Studio van Stralen, Groningen

Distributie Vlaanderen: Boeken Diogenes bvba, Paulus Beyestraat 135, 2100 Deurne

ISBN 90-5764-002-3

Printed in China by Leefung-Asco Printers Ltd

Inhoud

Voorwoord

Eindelijk heeft iemand de tijd en moeite genomen het fabeltje uit de wereld te helpen dat de whiskybranche een 'mannenwereld' is. Heel wat vrouwen hebben al geschreven over whisky, en nog steeds verschijnen er regelmatig artikelen door vrouwen. Maar voor zover ik weet, is dit het eerste echte boek over whisky dat door een vrouw is geschreven, en dat werd hoog tijd.

Dit is een ideale gids om bij de hand te hebben als u proeft, nipt en geniet van uw favoriete whisky, of als u een nieuw merk wilt uitproberen, ongeacht of u dat nu alleen doet, met familie of met collega's. Het kan best voorkomen dat u het niet altijd eens bent met Helens omschrijvingen en opmerkingen; ik heb zelf regelmatig het genoegen om met haar van mening te verschillen, zodat we nog een keer terug moeten om opnieuw te proeven. En het is maar goed ook dat meningen verschillen, want wat zou de wereld er saai uitzien als iedereen dezelfde smaak had!

Hoe een whisky aan zijn karakter komt, is een vraag waarop geen eenduidig antwoord mogelijk is. Wel zijn er veel theorieën, waarvan sommige menen dat de grootte of vorm van de stookketel of de ligging van de distilleerderij van invloed is. Zeker is dat elke whisky op zich al contrasterende sensaties biedt en dat uw eigen mening de enige is waarmee u rekening hoeft te houden.

Dit boek biedt u een goede basis om te genieten van whisky; u ervaart hoe spannend het is om een heel nieuwe wereld van zintuiglijke sensaties te ontdekken waarvan u het bestaan niet eens kende. Zoals geleerden en grote filosofen graag hun grootse gedachten met elkaar delen, vinden wij het prettig om onze gedachten over whisky met u te delen.

Terwijl Helen hoopt dat u niet alleen waardering krijgt voor de tradities en het vakmanschap, maar ook iets meekrijgt van de magie die bij het bereiden van whisky hoort, mag u wat mij betreft niet de liefdevolle aandacht voor het product vergeten, die vaak vele generaties lang van vader op zoon is doorgegeven.

Wallace Milroy, april 1997

Inleiding

Het woord 'whisky' roept een beeld op van een amberkleurige vloeistof met uiteenlopende smaken en aroma's. Zet er *Scotch* bij en het beeld wordt heel anders. De amberkleurige vloeistof wordt aangevuld met een erfgoed, een eeuwenoude geschiedenis en een heel eigen leven. Beelden van met heide begroeide heuvels, helder water dat over granietrotsen kabbelt, het geluid van een doedelzak, kilts, een knappend haardvuur en een geslepen karaf met bijpassende glazen dringen zich op.

Dit boek is een inleiding in de wereld van single malt whisky's, oftewel whisky's die uitsluitend van gemoute gerst zijn gemaakt en gedistilleerd zijn in één bepaalde distilleerderij. Omdat er meer dan 100 verschillende whiskydistilleerderijen in Schotland zijn, is het grootste deel van het boek daarmee gevuld. Veel van hun fijne malts zijn niet bestemd voor de verkoop als single malt, maar voor beroemde blends, zoals The Famous Grouse, Teacher's en Bell's. Gelukkig voor de liefhebber wordt een groot aantal wel als single malt gebotteld en verkocht.

In het belangrijkste deel van dit boek, het overzicht, zijn die malts opgenomen die gemakkelijk verkrijgbaar zijn. Daarnaast is er informatie over zeldzame malts, whisky's van distilleerderijen die niet meer produceren en whisky's van leeftijden en alcoholpercentages die niet gemakkelijk te krijgen zijn. Naast de single malts uit Schotland komen enkele uitstekende single malts uit Ierland en Japan aan bod. Bij veel distilleerderijen zijn bezoekers welkom, dus geven we daar ook informatie over.

De productie van Schotse whisky

In 1995 werden er 14.079 miljoen flessen Schotse whisky van 70 cl geproduceerd – een flinke toename ten opzichte van 1994. De verkoopcijfers van single malt zijn goed voor circa 5 procent van dit totaal.

In 1995 werd er voor 30 miljoen dollar geëxporteerd – een slordige 85 procent van de totale exportcijfers. Een groot deel van de single malts, beperkte edities en speciale bottelings is bestemd voor de export.

Whisky of whiskey?

In het algemeen wordt whisky in Schotland gemaakt en whiskey in Ierland en Amerika. Maar tot ieders verwarring staat er 'whisky' op het etiket van de meeste whisky's die in Japan en Canada op de markt worden gebracht. Malt whisky is uitsluitend gemaakt van gemoute gerst. Grain whisky en whiskey uit Ierland en Amerika worden geproduceerd van verschillende granen, zoals rogge, tarwe en maïs.

Dankbetuiging

Ik wil graag iedereen bedanken die me met dit boek heeft geholpen. Ik heb veel waardevolle herinneringen aan rondleidingen, zoeken in archieven, praten met mensen die in de whiskybranche werken, en vooral ook aan het proeven van zo veel heerlijke single malts. Dank u. Op deze plaats wil ik allereerst Anna Briffa, mijn uitgeefster, bedanken voor haar geduld en steun. James McEwan van Morrison Bowmore Distillers bedank ik voor zijn steun en gastvrijheid en dr. Alan Rutherford van United Distillers voor zijn vakmanschap en vriendschap. En vervolgens dank aan alle mensen in de Schotse whiskybranche met wie ik in de loop der jaren heb mogen werken, waaronder Matthew Gloag van Matthew Gloag & Sons Ltd., Islay Campbell, manager van Bowmore, Iain Henderson van Laphroaig, Mike Nicolson van Caol Ila, Alistair Skakles van Royal Lochnagar, Bill Bergius van Allied Distillers, Ian Urquhart van Gordon & MacPhail, Campbell Evans van de Scotch Whisky Association en Caroline Dewar. Heel hartelijk dank ook aan Wallace Milroy, de beroemde schrijver over whisky, en zijn broer John. Ook mijn team van proevers heeft me fantastisch geholpen bij het proeven van al die single malts: Graham Cook, Sue Holmes, Charles Richardson-Bryant, Danny West en Tony Vigne.

Ik hoop dat u tijdens het lezen van dit boek iets nieuws ontdekt en waardering krijgt voor de tradities en het vakmanschap die zo'n belangrijke rol spelen tijdens de bereiding van whisky. En hopelijk krijgt u ook iets van de magie mee, want zonder magie zou er geen single malt bestaan.

Helen Arthur
Putley, Herefordshire, 1997

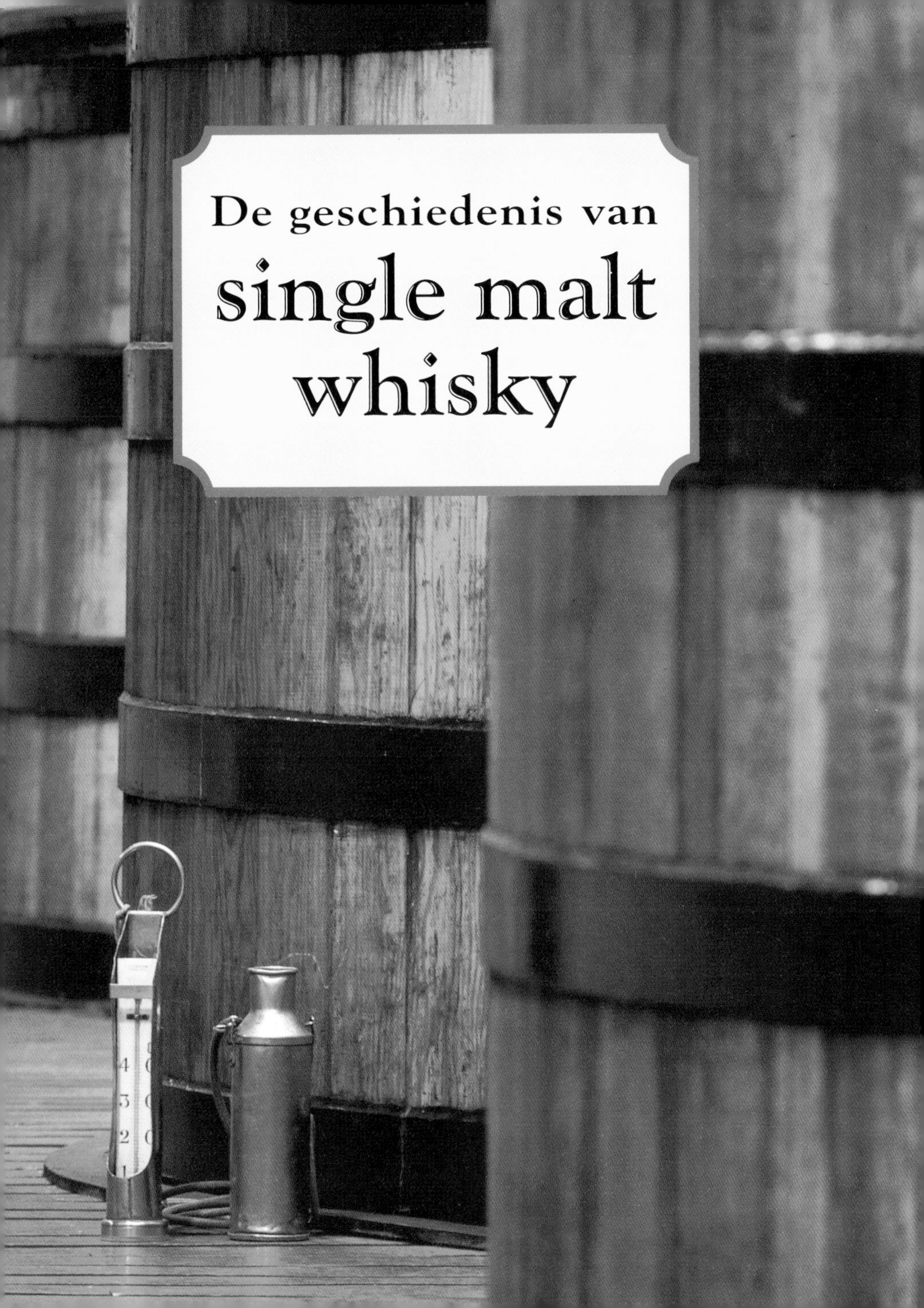
De geschiedenis van
single malt
whisky

Whisky
Schotlands erfgoed

De eerste verwijzing naar het maken van wat wij Schotse whisky noemen, dateert van 1494: er wordt geschreven dat een zekere broeder John Cor van de abdij van Lindores bij Newburgh acht *bolts* mout kocht, waarmee hij 35 kistjes kon produceren.

Thuis whisky stoken, wat wettelijk was toegestaan, hoorde bij het Schotse boerenleven. In de zomer hielden de boeren vee en verbouwden ze gerst, waarmee ze hun vee 's winters konden voeden. Wat er aan gerst overbleef, werd gebruikt om een alcoholische drank van te maken voor koude tijden.

Na de Engelse Burgeroorlog in 1643 hief de puriteinse regering belasting op zowel de import van alcoholhoudende drank vanuit Nederland als op de productie ervan in eigen land. Schotland viel in die tijd niet onder de Engelse regering en had hier dus geen last van. Maar de toename van de whiskyproductie bracht het Schotse parlement in 1644 op het idee om een wet in te voeren om accijns te kunnen heffen op alcoholische dranken. Het innen van belasting was een lastige taak, omdat er weinig belastingontvangers waren en veel distilleerderijen in moeilijk toegankelijke oorden lagen. In 1707, toen Schotland onder de Engelse wetgeving viel, begon men echt moeite te doen om de whiskyproductie te beheersen. De ene wet na de andere werd ingevoerd en de situatie werd zeer ondoorzichtig – distilleerderijen werden volgens allerlei berekeningen zeer uiteenlopend belast. De belastinginners, de beroemde *excisemen*, werden begeleid door Engelse soldaten, die vanwege hun uniform *redcoats* (roodjassen) werden genoemd. Die begeleiding was hard nodig, want belasting innen was een riskante onderneming. Het werd een nationale sport om de *redcoats* te slim af te zijn, en elke distilleerderij heeft haar eigen spannende verhalen van heldendaden en slimme plannen. Omdat een illegaal stooktoestel snel kon worden afgebroken en weggehaald, waren overtreders moeilijk te pakken. Zo'n toestel bestond uit een metalen ketel waarin de gerst, gist en het water boven een vuur werden gekookt, een korte, door water gekoelde pijp waarin de stoom werd opgevangen en een ton voor de ruwe drank.

In 1823 kwam er een wet waardoor de distillatie legaal werd als men een vergunning betaalde en meer dan 40 Amerikaanse gallons per jaar produceerde. In 1840 begon men belasting te heffen op elke fles die de distilleerderij verkocht, en dat gebeurt nog steeds in het Verenigd Koninkrijk.

De ketel zelf was misschien goed te verstoppen, maar met de whiskyvoorraad lag dan anders. Er bestaan talloze verhalen over het verstoppen van kostbare voorraden om ze te behoeden voor vernietiging of inbeslagname. Zo was Magnus Eunson in 1798 een actieve distilleerder op Orkney. Deze beruchte smokkelaar en plaatselijke predikant verstopte de vaten whisky altijd in zijn kerk. Toen hij hoorde dat belastinginners in de streek rondneusden, haalde hij de vaten uit de kerk en verstopte ze onder een wit laken in zijn huis. Terwijl de *excisemen* de kerk doorzochten, legden Eunson en zijn mensen het deksel van een doodskist onder het laken en begonnen een begrafenisdienst. Een van Eunsons mannen fluisterde dat de overledene aan de pokken was gestorven, waarop de *excisemen* er als een haas vandoor gingen!

Een illegale distilleerderij bij Royal Lochnagar.

Whiskypagode en smeedijzeren hekken – Highland Park Orkney.

In die periode was whisky helemaal niet de favoriete drank van de Schotse of Engelse aristocratie; cognac en Franse wijnen hadden de voorkeur.

Dat werd anders na 1823, toen er dankzij de drankvergunning orde kwam in het belasten van whisky. Doordat de productie werd gelegaliseerd, werden permanente distilleerderijen gebouwd, wat leidde tot verbetering van de kwaliteit van het eindproduct. De eerste distilleerderij die een vergunning kreeg, was The Glenlivet (1824), op de voet gevolgd door onder andere Cardhu, The Glendronach, Old Fettercairn en The Macallan. De eerste geregistreerde commerciële distilleerderijen dateren van eind 18e eeuw, zoals Bowmore (1779), Highland Park (1795), Lagavulin (1784), Littlemill (1772) en Tobermory (1795).

In 1863 brak er in Frankrijk een ramp uit: de phylloxera vernietigde alle wijngaarden. In 1879 was er van de meeste wijngaarden in Europa niets meer over. De productie van wijn en cognac lag stil. De klanten moesten hun drank elders zoeken, en vonden die dicht bij huis. In Edinburgh was Adrian Usher al een tijdje aan het experimenteren met het mengen (*blenden*) van whisky. Het resultaat was een lichtere, populairdere drank. In deze periode werden vele nieuwe distilleerderijen gebouwd, zoals Benriach (1898), The Balvenie (1892) en Dufftown (1896).

In 1898 was het ineens uit met de stijgende verkoopcijfers toen Pattisons, een beroemde blenderij, failliet ging. De gebroeders Pattison moesten de gevangenis in en het faillissement van hun bedrijf had ernstige gevolgen voor de whiskybranche. Te hoge uitgaven en een algemene teruggang in het economisch klimaat leidden tot de sluiting van veel distilleerderijen.

De toenemende concurrentie bemoeilijkte het vinden van een markt voor de malt whisky. Pas in 1963 kwamen de single malts weer in de belangstelling. Enkele bedrijven, met name William Grant & Sons, dat behoorlijk investeerde in The Glenfiddich, begonnen hun single malts agressief op de markt aan te prijzen.

Vanwege de grootschalige productie en hoge arbeids- en marketingkosten konden veel distilleerderijen het niet langer alleen bolwerken. Door zich te groeperen, bijvoorbeeld in United Distillers, konden ze hun werk voortzetten. Dankzij de hernieuwde belangstelling voor malt whisky in de afgelopen jaren zijn sommige ondernemers weer voor zichzelf begonnen en komen er weer meer onafhankelijke distilleerderijen.

De Balvenie-distilleerderij, rond 1895.

Whiskytermen

Het woord *whisky* is afkomstig van *uisge beatha* (Gaelic voor levenswater). De distillatie van whisky in Schotland is tegenwoordig veelal in handen van grote organisaties en is het boerenleven ontgroeid, hoewel er nog steeds veel kleine, landelijke distilleerderijen zijn. Ze spelen in het dorpsleven nog steeds een belangrijke rol en zijn vaak de voornaamste bron van werkgelegenheid.

Om in aanmerking te komen voor de benaming *whisky* moet de drank geproduceerd zijn van water en granen, gedistilleerd zijn op een alcoholisch volume van minder dan 94,8%, en gerijpt zijn in vaten met een maximale inhoud van 185 Amerikaanse gallons gedurende een periode van minimaal drie jaar vanaf de datum van distillatie in een entrepot.

Alleen whisky die in een distilleerderij in Schotland is geproduceerd en in Schotland is gerijpt, mag zich *Scotch whisky* noemen.

Een single malt whisky is gedistilleerd in een individuele distilleerderij en gemaakt van uitsluitend gemoute gerst. Bij het bottelen mogen producten van verscheidene jaren van dezelfde distilleerderij worden gebruikt. Op het etiket staat een leeftijd die aangeeft hoe lang de jongste whisky die bij het bottelen is verwerkt, in het vat heeft gerijpt.

Een vatted malt wordt gemaakt door meerdere malt whisky's van meerdere distilleerderijen met elkaar te mengen. Vatted malts bevatten vaak producten van distilleerderijen uit een bepaalde streek, zoals Pride of the Lowlands, en worden vaak aangeduid met 'Pure Malt' of 'Scotch Malt Whisky'. Ze mogen geen single malt worden genoemd.

Grain whisky wordt tijdens een continu distillatieproces geproduceerd. Er worden gemoute en ongemoute granen gebruikt die onder stoomdruk worden gekookt; de resulterende drank is sterker en rijpt sneller dan een malt whisky, omdat hij minder bestanddelen bevat.

Single grain whisky is het product van de distillatie van één graansoort. Verscheidene bedrijven verkopen deze whisky, zoals Whyte & Mackay (Invergordon) en United Distillers (Cameron Brig). De leeftijd op het etiket geeft aan hoe lang de jongste whisky die tijdens de botteling is verwerkt, in het vat heeft gerijpt.

Blended whisky is goed voor 95% van de verkoopcijfers van Schotse whisky. Een blended whisky wordt samengesteld uit single malts en grain whisky's.

Blended whisky's zijn een ideale kennismaking met whisky en kunnen op meerdere manieren worden gedronken: puur, met ijs, water, limonade of ginger ale, of in cocktails, zoals een Bobbie Burns (met Benedictine) of een Rusty Nail (met Drambuie). Als u whisky aanlengt met heet water en citroensap en zoet met honing of suiker, eventueel met een kruidnagel, krijgt u een *hot toddy* (grog), tegen verkoudheid.

Deluxe blends bevatten meer malt whisky's en vermelden vaak een leeftijd. Net zoals bij single malts verwijst deze leeftijd naar de jongste whisky in de blend. Voorbeelden van deluxe blends zijn Johnny Walker Black Label 12 years, J & B Reserve 15 years, Dimple 15 years en The Famous Grouse Gold Reserve 12 years.

Alcoholgehalte

In Europa wordt het alcoholgehalte aangeduid met een percentage bij 20°C. In Amerika geldt het proefsysteem nog: 100° proef is gelijk aan 50% en 80° proef is gelijk aan 40%. Het proefsysteem werd oorspronkelijk getest door een brandende lucifer bij een mengsel van de drank en buskruit te houden. Ging het mengsel af, dan was de whisky 'proef', zo niet, dan was de drank te zwak. In 1740 werd door een zekere Mr. Clark een hydrometer uitgevonden waarmee het alcoholgehalte van whisky kon worden gemeten. De verbeterde hydrometer van Bartholomew Sikes (1818) werd in Engeland gebruikt tot 1980. Daarna werd de Europese methode overgenomen.

Cask strength whisky wordt verkocht met een alcoholpercentage van 68,5% (zo'n 120° proef).

Gebottelde whisky bevat meestal 40% alcohol voor de verkoop in eigen land en 43% voor de export.

Malt whisky distilleren

Malt whisky bestaat uit water, gemoute gerst en gist. Achter dit simpele recept schuilt een zeer complexe drank met vele kleuren, aroma's en smaken.

Een zuivere, heldere waterbron is de basis van een goede single malt whisky. En omdat het water over de Schotse heuvels of door turflanden naar de distilleerderij graastroomt, neemt het altijd iets van zijn geboorteplaats en reizen mee: turf, heide en graniet. Daarnaast heeft whisky de hitte van een turfvuur nodig, het volmaakte vakman-

De karakteristieke pagodegebouwen van Glenturret.

Koel, helder water op Islay voor de Bowmore-distilleerderij.

schap van de medewerkers in de distilleerderij, de magie van de koperen distilleerketels, de rijping in eikenhouten fusten en een goede ventilatie.

Elke whiskyproducent kan u precies vertellen waarom zijn malt anders smaakt dan die van zijn buurman: het water, de gerstsoort, hoe lang de gerst wordt gedrenkt en gedroogd, of er turf wordt gebruikt voor het drogen, het type turf, de duur van de gisting, de vorm en grootte van de ketels, de snelheid waarmee de ruwe drank wordt opgevangen, de grootte van het fust, het type fust, en de atmosfeer in de opslagplaats. Ook andere, zeer creatieve redenen zijn te horen, zoals de windrichting of de magie van de ketel en het fust. Eigenlijk weet niemand het precies. Hieronder wordt het productieproces beschreven, de bijbehorende terminologie verklaard en komen enkele van die ongrijpbare zaken aan de orde.

HET MOUTEN VAN DE GERST

Het productieproces begint met gerst. Elke distilleerderij heeft haar eigen gerstbron; beheerders houden nauw contact met boeren en landbouwkundigen om er zeker van te zijn dat de grondstoffen aan hun eisen voldoen.

De gerst wordt enkele dagen in water gedrenkt en daarna gekiemd. Traditioneel wordt de gerst met de hand op een betonnen moutvloer uitgespreid, waarna hij zeven dagen lang regelmatig gekeerd wordt om de temperatuur en de kieming te reguleren. De traditionele houten moutschep wordt hier en daar nog steeds gebruikt voor het keren, maar slechts een handjevol distilleerderijen mouten nog een deel van hun eigen gerst zelf, zoals Bowmore, Laphroaig, Springbank en Highland Park. De meeste kopen hun gemoute gerst van mouterijen, waar het graan mechanisch wordt gekeerd in grote rechthoekige bakken of ronde vaten. De directie van de distilleerderij bepaalt de exacte duur van elk stadium van het moutingsproces.

Als de gewenste kieming is bereikt, komen de natuurlijke enzymen in de gerst vrij. Deze produceren oplosbaar zetmeel dat tijdens het beslagproces in suiker wordt omgezet. De kieming wordt stopgezet door de gerst boven een turfvuur of met warme lucht te drogen.

Bij Bowmore wordt de gerst 15-18 uur boven een turfvuur gedroogd. De turf wordt afgestoken en aan de wind gedroogd. Als de gerst boven een turfvuur wordt gedroogd, neemt hij fenol uit de turf op, waardoor de Bowmore-whisky zijn karakteristieke turfachtige aroma en smaak krijgt. De gerst wordt

Traditioneel mouten – gerst keren met de hand.

Turf steken op Islay.

daarna nog 48-55 uur met warme lucht gedroogd.

In heel Schotland wordt een deel van de gerst vaak nog boven turfvuur gedroogd. Maar uit Speyside en Lowland komen single malt whisky's die geen turfinvloeden bevatten. Waarom sommige whisky's van Islay zo'n hoog turfgehalte hebben? Traditioneel was dit plaatselijk de enige brandstof, anders dan in Campbeltown en Speyside, waar veel kolen waren. Turfvuren in de verschillende streken van Schotland produceren verschillende fenols; op Islay bijvoorbeeld bestaat turf voornamelijk uit rottende heidesoorten, mossen en grassen, terwijl op het vasteland oude bossen vervallen zijn tot turf.

Een traditionele turfoven.

Het beslag

Aan het beslag wordt water toegevoegd.

Na een rustperiode wordt de gedroogde mout fijngemalen. Dit gemalen product (deels bloem, deels iets grover) wordt in een grote bak, de *mash tun*, vermengd met kokend water. Dit proces heet 'beslaan'. De watervoorraad wordt voortdurend in de gaten gehouden, omdat het water belangrijk is voor de specifieke geur en het aroma van elke malt whisky. De vorm en grootte van de *mash tuns* lopen uiteen, maar ze zijn meestal van koper en hebben een deksel. Het bloemige deel van de gemalen gerst lost op in het kokende water en de suikers komen vrij. De vloeistof die nu ontstaat, 'wort' genoemd, sijpelt door de fijne gaatjes in de bodem van de kuip. Het wordt gekoeld en komt in gistkuipen (*washbacks*). De vaste deeltjes, in Schotland *draff* genoemd, blijven in de beslagton achter en dienen als veevoer.

Bereiding van het wort.

GISTING

In de grote houten gistkuipen wordt gist toegevoegd aan het vloeibare wort, dat is afgekoeld tot circa 70°C. De gist begint direct te werken en het mengsel produceert kooldioxide en schuim. Schotse moutdistilleerders gebruiken gistkuipen met een deksel waarin een ronddraaiend mes is ingebouwd, zodat het schuim niet over de rand stroomt. De suikers worden omgezet in alcohol en na zo'n 48 uur is de vloeistof een zoet, turfachtig bier geworden met een alcoholgehalte van zo'n 7,5%.

De gistkuipen van Highland Park.

Distillatie

De spirit safe.

Het gegiste wort, *wash* geheten, stroomt via een pijp naar de stookruimte. Traditioneel zijn de distilleertoestellen voor een Schotse malt whisky van koper en alle toestellen worden met de hand gemaakt. De vorm en grootte van het toestel en het vakmanschap van de distilleerder (de *stillman*) dragen bij aan de kwaliteit van het eindproduct. Slechts een klein deel van elk distillaat gaat door naar het volgende stadium. Normaal gesproken wordt malt whisky twee keer gestookt, maar sommige bedrijven in Lowland en Ierland distilleren drie keer.

In het grootste toestel, de *wash still*, wordt het gegiste wort gekookt, zodat de alcohol verdampt en de overige bestanddelen achterblijven. Omdat het kookpunt van alcohol lager ligt dan dat van water, stijgt de alcohol het eerst op in de hals van de stookketel. De damp komt terecht in een *lyne arm* of serpentine (een gekrulde pijp in koud water) en condenseert. De hoek waarin de serpentine staat, is van invloed op de kwaliteit en snelheid van de condensatie.

De vloeistof, nu *low wines* genaamd, komt in de alcoholdistillator en wordt nog een keer gedistilleerd, maar nu via de *spirit safe*. Op dit moment verschijnt de Britse belastingdienst op het toneel. Over alle spiritualiën moet in het Verenigd Koninkrijk

Detail van een stookketel.

belasting worden betaald en de productie ervan wordt streng gecontroleerd. De *spirit safe* wordt door de belastingdienst van sloten voorzien en de productie wordt nauwgezet bijgehouden. De *spirit safe* bevat een aantal glazen kommen waar de drank met behulp van kranen van buitenaf door de distilleerder in kan worden gegoten. De *low wines* bevatten zo'n 30% alcohol en moeten opnieuw worden gedistilleerd. In dit stadium is de vloeistof niet te drinken. Het toestel voor de tweede distillatie, de *spirit still*, is kleiner dan de eerste. Nu volgt een zorgvuldig afgestemd proces.

De distilleerder begint de drank te testen zodra de opstijgende dampen zijn gecondenseerd en door de *spirit safe* gaan. Het eerste deel van de vloeistof, de voorloop (*foreshots*), laat hij in de glazen kommen lopen, waarna de vloeistof wegstroomt in een verzameltank. De onzuivere voorloop wordt troebel als er water bij komt. De distilleerder test de drank in de *spirit safe* door regelmatig water toe te voegen en het soortelijk gewicht te controleren.

Zodra de vloeistof helder wordt, draait de distilleerder de kranen aan de buitenkant van de *spirit safe* open, zodat de drank in een ander vat loopt. Om de drank zo helder en zuiver mogelijk te houden, wordt de distillatiesnelheid in dit stadium verlaagd. Het soortelijk gewicht en de helderheid van de drank worden doorlopend gecontroleerd. Na een paar uur wordt de drank zwakker – deze naloop (*feints*) wordt niet gebruikt en verdwijnt in een andere verzameltank.

In sommige distilleerderijen, met name Bushmills en Auchentoshan, wordt de alcohol nog een derde keer gestookt om een lichtere whisky te krijgen. Dit proces heet drievoudige distillatie.

Als de naloop verdwenen is, blijft er in de stookketel een waterig residu (*spent lees*) achter dat na reiniging wordt geloosd. De Royal Lochnagar Distillery spuit haar *spent lees* over het omringende boerenland.

De voor- en naloop worden voor distillatie toegevoegd aan de volgende *wash*, waarna het hele proces zich herhaalt.

De stookruimte van Bowmore.

RIJPING

Vaten maken.

De drank is kleurloos, grof en sterk – hij heeft al wat trekjes van whisky, maar het elegante karakter is nog ver te zoeken. Hij moet nu drie jaar in vaten rijpen voor hij whisky genoemd mag worden. In deze periode wordt de drank zachter en begint hij kleur aan te nemen naarmate de residuen van bourbon, sherry of port in de houten vaten waarin hij is opgeslagen, worden opgenomen.

De ongerijpte alcohol stroomt via een pijp in de vulruimte en wordt daar in vaten gegoten. Dit gebeurt onder streng toezicht om te garanderen dat precies de juiste hoeveelheid alcohol in de vaten wordt gegoten.

Whisky wordt in entrepots opgeslagen, omdat men er invoerrechten over moet betalen. Elk vat staat geregistreerd, zodat het juiste bedrag wordt betaald als de drank wordt gebotteld.

Elke distilleerderij gebruikt een specifiek type fust; zo gebruikt Laphroaig alleen maar vaten waarin vroeger Amerikaanse bourbon zat. Andere whisky's, zoals The Macallan, rijpen in oude sherryvaten, terwijl sommige Glenmorangie-whisky's in oude port- en madeiravaten rijpen. Het type fust draagt bij aan de uiteindelijke kleur en smaak van de malt whisky. De vaten worden minimaal drie jaar opgeslagen. Is de whisky voor een single malt of een deluxe blend bestemd, dan moeten de vaten ten minste 10-15 jaar blijven liggen.

Omdat hout doorlatend is, dringt de omringende lucht door in de whisky. Een naar zeewier, heide, dennen of eiken ruikende lucht draagt bij aan de eigenschappen van de malt. Er lekt ook een deel van de alcohol uit de vaten; de meeste distilleerders noemen dit vreemd genoeg 'het deel van de engelen'. Ook de temperatuur en vochtigheid in de opslagplaatsen hebben invloed op de rijping. Hoe langer een malt whisky rijpt, hoe meer veranderingen er plaatsvinden, wat verklaart waarom malts van uiteenlopende leeftijden uit dezelfde distilleerderij zo van elkaar verschillen.

Van tijd tot tijd worden de vaten beklopt om te controleren of alles goed gaat. Een vol resonerend geluid betekent dat het vat intact is en de whisky goed rijpt. Een lekkend of gebroken vat produceert een vrij dof geluid. Er wordt een kleine hoeveelheid drank uit het vat gehaald en in een 'snuffelglas' gegoten. Men ruikt aan de whisky en laat hem in het glas ronddraaien. Als er rondom een 'parelsnoer' ontstaat, rijpt de whisky naar tevredenheid en wordt de drank weer in het vat gegoten.

De whisky moet langzaam in het donker rijpen.

Vroeger kregen de arbeiders van de distilleerderij oude vaten waarin jarenlang whisky had gerijpt. Deze vaten werden met heet water en stoom gevuld en door de straten gerold, waarna de arbeiders vele liters drank hadden. Helaas is dit nu bij de wet verboden.

Malt-whiskystreken in Schotland

De Schotse malt whisky's zijn gegroepeerd aan de hand van hun streek van herkomst. De malts in dit boek staan alfabetisch gerangschikt, met eronder hun streek van herkomst. We moeten echter oppassen voor te algemene beschrijvingen, want het zou onjuist zijn te zeggen dat alle malts van Islay een sterke turfsmaak hebben. Toch zijn er wel enkele streekgebonden eigenschappen die de keuze van een malt whisky beïnvloeden.

Glooiende heuvels en helder water worden al sinds oudsher geassocieerd met whisky.

Het landschap van de Lowlands is weelderig groen.

LOWLANDS

Het golvende landschap van de Schotse Lowlands wordt niet direct geassocieerd met whisky – die rol is weggelegd voor woeste heuvels en kabbelende beekjes. In dit deel van Schotland zijn geen granietheuvels en weinig turflanden. Maar er is wel veel uitstekende gerst en zuiver water. Lowland malts hebben een zoetere, zachtere smaak dan de malts uit andere streken, wat veel te maken heeft met de eigenschappen van de gemoute gerst. De meeste Lowland-malts worden met heel weinig turf bereid. Opvallende uitzondering op deze regel is Glenkinchie, een iets droge, rokerige malt.

Aan het eind van de 19e eeuw waren hier veel meer distilleerderijen dan nu. Vroeger produceerde deze streek, die onder een denkbeeldige lijn tussen de rivieren de Clyde en de Tay ligt, whisky in grote industriële ketels, zonder de verfijning en smaakschakeringen van de Highland-malts. Maar dat is lang geleden; de overgebleven distilleerderijen bereiden uitstekende malts, die wat lichter zijn en geen turf- of zeesmaak hebben. Auchentoshan, vlak bij Glasgow aan de noordelijke oever van de Clyde, is het enige bedrijf waar een drievoudige distillatie wordt toegepast.

In deze streek liggen de twee belangrijkste steden van Schotland: Edinburgh en Glasgow. Door het gebied stroomt de grote rivier de Clyde. Dankzij deze rivier kunnen distilleerderijen probleemloos de markten overzee bereiken. Op de scheepswerven van de Clyde zijn beroemde schepen gebouwd, zoals de *Queen Mary* en *Queen Elizabeth I* en *II*. Ten zuiden van het industriële gedeelte van de Clyde begint een landbouwgebied met graanvelden en grazende schapen. Hier wordt de beroemde Schotse kasjmier gemaakt; als u in de streek bent, moet u beslist een bezoekje brengen aan een van de vele wolboerderijen.

De Lowlands hebben veel gemeen met Noord-Ierland, waar Bushmills vandaan komt. Omdat beide gebieden dicht bij elkaar liggen, is er veel kennis uitgewisseld. Men denkt dan ook dat Auchentoshan is opgericht met hulp van Ierse monniken. Het belangrijkste kenmerk van Ierse whiskey en de malt van Auchentoshan is dat ze beide drie keer gestookt zijn. Door deze extra distillatie worden meer bestanddelen verwijderd, waardoor het eindproduct bijzonder zuiver wordt.

Lowland-malts worden niet beïnvloed door zilte zeewinden en bevatten weinig zout. Waarschijnlijk dragen de lichte, warme briesjes over het glooiende landschap bij aan hun zachtheid.

Highlands

Als u vanuit Speyside richting het noorden gaat, voert de weg u langs de inmiddels opgeheven Glen Albyn-distilleerderij naar Glen Ord, Teaninch, Dalmore, Glenmorangie, Balblair, Clynelish en helemaal aan het eind van de weg, bij Wick, naar Pulteney, de meest noordelijk gelegen distilleerderij op het vasteland van Schotland. Dit gebied, de Northern Highlands, is bergachtig; de heldere, klaterende beekjes, de met heide begroeide heuvels en de groene valleien geven de malt whisky's hun boeiende aroma's en smaken. Deze streek strekt zich uit van Pulteney in het noordoosten tot Oban in het westen en Tullibardine in het zuiden. Elke whisky heeft zijn eigen karakter, dat sterk wordt bepaald door de ligging en de watervoorraad ter plaatse. Zoals in alle afgelegen streken waren maar weinig mensen bereid de lange reis naar de boerde-

Rannoch Moor in de Highlands. ▶

Ben Nevis, het beroemdste herkenningspunt van Schotland.

rijen te maken, en illegaal stoken kwam dan ook veel voor. De meeste distilleerderijen die nu whisky produceren, dateren van begin 19e eeuw. Alleen Balblair kan zich erop beroepen dat het is gebouwd voordat het stoken van whisky in 1790 legaal werd.

Dit prachtige deel van Schotland biedt de bezoeker de mooiste vergezichten. De malt whisky's die op de eilanden Mull, Jura en Orkney worden geproduceerd, vallen ook onder de Highlands-categorie. Op Mull is nog maar één distilleerderij over. Hier gebruikt men over turflanden stromend water, dat de whisky een rooksmaak geeft. Op Jura stroomt het water over rotsen, waardoor de whisky een fris, bloemachtig aroma krijgt.

De Orkney-eilanden

Op het noordelijkste puntje van Schotland liggen de Orkney-eilanden, met de Atlantische Oceaan aan de westkant en de Noordzee aan de oostkant. Oslo is dichterbij dan Londen, en de Noorse invloeden zijn dan ook talrijk.

Staande stenen en grafkamers uit het Bronzen Tijdperk zijn te zien bij Skara Brae en Maes Howe. Iets recenter zijn de wrakken van de Duitse vloot uit de Eerste Wereldoorlog, die bij Scapa Flow nog steeds uit het water steken. Aan de andere kant van de Churchill Barriers, die in de Eerste Wereldoorlog werden gebouwd om Scapa Flow te beschermen, staat de Italiaanse kapel van Lamb Holm. Hier hebben Italiaanse krijgsgevangenen prachtige muurschilderingen gemaakt.

Op het Main Island, het grootste van de groep, is de invloed van zee en lucht sterk aanwezig omdat het land overwegend vlak en kaal is. Het is haast niet te zien waar de lucht overgaat in de zee. Op Hoy is het landschap grilliger; het land bevindt zich soms tot circa 500 m boven zee. De klippen langs de kust zijn een waar paradijs voor vogel-

Uitgestrekte landschappen waar de wind vrij spel heeft – typisch Schots.

liefhebbers; hier ziet u wulpen, drieteenmeeuwen, zeekoeten, papegaaiduikers en soms de grote jager. De weiden zijn bedekt met wilde bloemen en de moerassen en lage heuvels zijn een paarse zee als de heide bloeit.

Doordat de eilanden zo afgelegen liggen, kon men er probleemloos whisky stoken; volgens de archieven zijn er diverse distilleerderijen gebouwd. In 1805 vernietigden *excisemen* een groot aantal distilleerderijen op de buitenste eilanden. Nu zijn er nog maar twee over: Scapa en Highland Park. Ze staan beide op Main Island.

Dankzij de natuurlijke bronnen van het eiland –een overdaad aan water, vruchtbare grond om gerst te verbouwen en grote hoeveelheden turf– stond niets de productie van whisky in de weg.

Whisky van Orkney ruikt naar zeelucht, die in de houten vaten doordringt terwijl de whisky ligt te rijpen. De turf van het eiland, die wordt gebruikt om de gemoute gerst te drogen, bestaat uit heide, die de whisky een honingsmaak geeft.

Een prachtig woest landschap in Speyside.

Heide wordt altijd geassocieerd met malt whisky.

Speyside

De streek Speyside ligt in de Schotse Highlands. De rivier de Spey stroomt tussen de Ladder en Cromdale Hills naar de Grampian Hills. Talloze beekjes en riviertjes stromen omlaag naar de Spey, zoals de Avon en de Livet. In het dal van de Livet zijn nog maar twee distilleerderijen: Glenlivet en Tamnavulin. Het dal is behoorlijk breed, maar loopt naar de heuvels heel smal toe. De kronkelige paadjes doen denken aan de oude smokkelaarsroutes naar de belangrijkste steden in de Lowlands. Dit bergachtige gebied was in de 17e en 18e eeuw vrijwel ontoegankelijk, waardoor illegaal stoken een favoriet tijdverdrijf werd.

Met zijn overvloedige voorraad vers water, gerst en turf had Speyside alles in huis om whisky te stoken. De meeste boeren stookten voor eigen consumptie, wat was toegestaan. Maar toen de boeren hun whisky begonnen te verkopen, vond de regering dat er belasting betaald moest worden, wat de meeste boeren weigerden. De hertog van Gordon werkte in die tijd samen met anderen aan een wet die het stoken van whisky legaliseerde. Een van zijn eigen pachters, George Smith, vroeg in 1824 de eerste vergunning aan. Smith, een kleurrijke figuur, heette vroeger Gow. Hij had zijn naam veranderd omdat zijn familie jarenlang aanhanger was geweest van Bonnie Prince Charlie, die zonder succes een gooi naar de Schotse troon had gedaan. Veel distilleerderijen gebruikten de term 'Glenlivet' om duidelijk te maken dat de whisky uit dit deel van Speyside kwam. Omdat dit voor veel verwarring zorgde, stapte de familie Smith in 1880 naar de rechter om anderen te verbieden hun product 'The Glenlivet' te noe-

Uitgestrekte meren (lochs) met stil, helder water vormen de perfecte waterbron voor stokers.

men. Sindsdien mag een distilleerderij alleen de term Glenlivet in combinatie met haar eigen naam gebruiken, bijvoorbeeld Tomintoul Glenlivet. Maar één bedrijf mag zichzelf The Glenlivet noemen.

Veel stokers in deze streek maken gebruik van ondergrondse waterbronnen. De zuiverheid van dit water draagt bij aan de kwaliteit van het eindproduct. Het water stroomt in dit deel van Schotland veel langer over granietheuvels, wat de whisky een aparte frisheid geft. Speyside ligt ver van zee en dus smaakt de whisky niet zilt. De smaak is helderder, misschien wat eenvoudiger dan die van een complexe Islay single malt, zoals Laphroaig. Omdat er minder turf aanwezig is, gebruikte men traditioneel kolen voor het vuur waarboven de mout werd gedroogd, waardoor de whisky een minder rokerige smaak krijgt. De hier rijpende whisky's nemen de geest van de heide en het land over.

De individuele distilleerderijen in Speyside produceren malts die een karakteristiek evenwicht hebben en wat zoet zijn omdat er zo weinig turf wordt gebruikt. De lange whiskytraditie in dit gebied zorgt voor uitzonderlijk fijne malts.

Relatief bekeken staan hier per vierkante kilometer de meeste distilleerderijen. Hoewel veel distilleerderijen de term 'Speyside' in hun naam hebben verwerkt, staan er maar heel weinig echt aan de rivier.

CAMPBELTOWN

Een eeuw geleden was een bezoeker van Campbeltown waarschijnlijk met de boot gekomen. Als de stad en het omringende gebied in zicht kwamen, waren er wel 30 schoorstenen te tellen, want dit was ooit het warm kloppende hart van de whiskyindustrie. Jammer genoeg zijn er nog maar twee distilleerderijen over: Springbank en Glen Scotia. De zeelucht van de Mull of Kintyre, waarop Campbeltown ligt, geeft deze malts een speciale smaak.

Islay

Het eiland Islay ligt langs de westkust van Schotland, voor de Mull of Kintyre. Islay, het vruchtbaarste eiland van de Hebriden, is ruitvormig met een diepe inham: Loch Indaal aan de zuidwestkust.

Het eiland heeft een rijke geschiedenis: staande stenen uit het Bronzen Tijdperk, oude Keltische kruisen daterend van 800 v.Chr. bij Kildalton, een oud middeleeuws kapelletje bij Kilnave en talloze verhalen van illegale whiskystokerijen. De boottocht vanaf Kennacraig op het vasteland duurt zo'n twee uur. Toen er nog geen vliegtuigen waren, was het eiland vaak afgesneden van de rest van de wereld, en daarom is het misschien niet verwonderlijk dat men er al in de 16e eeuw whisky stookte. Men denkt zelfs dat de eerste stokers begin 15e eeuw vanuit Ierland naar Islay zijn gekomen.

Islay is een prachtig maar winderig eiland met woeste heuvels (het hoogste punt is Beinn Bheigeir op 500 m boven zee), diepe, beboste valleien, moerassen en glooiende landbouwgebieden. Vanwege de geïsoleerde ligging, de ruime voorraad turf, het onbeperkte water en de plaatselijke gerst was Islay een ideale plek om whisky te stoken. De zeven distilleerderijen op het eiland produceren totaal verschillende malt whisky's, van de lichte Bunnahabhain en Caol Ila tot de krachtiger, aromatische Laphroaig en Ardbeg.

Alle distilleerderijen liggen vlak bij zee, zodat de whisky gemakkelijk naar het vasteland kon worden vervoerd. Koel, helder water borrelt uit de grond en vindt vervolgens over rotsen zijn weg naar zee. Gerst groeit op de vruchtbare velden en turf wordt afgestoken uit de schijnbaar oneindige voorraad op het moeras. De turf op Islay bestaat uit rottende heide, mossen en grassen. Gemoute gerst die op Islay boven een turfvuur wordt gedroogd, heeft dan ook een heel eigen smaak en aroma. De grond van Islay bestaat overwegend uit turf – de hoofdweg van Port Ellen naar de hoofdstad Bowmore drijft op sommige plekken letterlijk op de turf. Het is daarom niet verstandig om hier hard te rijden, want soms duikt er ineens een hobbel in de weg op.

◂ *Het bekende beeld: woeste rotsen en klaterende beekjes.*

ORKNEY ISLANDS
LEWIS
SKYE
HIGHLANDS
SPEYSIDE
Grantown
Inverness
Loch Ness
Aberdeen
Fort William
Ben Nevis
Pitlochry
MULL
Oban
JURA
ISLAY
Glasgow
Edinburgh
Ayr
Campbeltown
LOWLANDS
ENGLAND
N
W
E
S

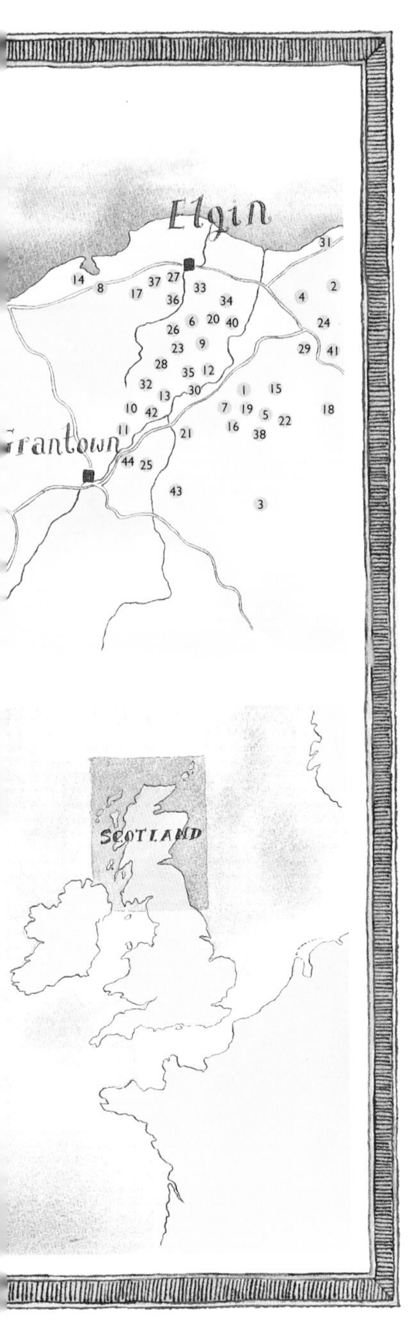

SINGLE-MALTSTREKEN IN SCHOTLAND

Op deze kaart ziet u de regionale indeling van de distilleerderijen in dit boek. Er zijn er in Speyside zo veel dat dit gedeelte is vergroot voor een beter overzicht.

De kleuren voor elke streek komen terug in het overzicht, zodat u ze snel kunt opzoeken, en ook hier zijn de distilleerderijen alfabetisch gerangschikt.

LOWLAND

1 Auchentoshan
2 Bladnoch
3 Glenkinchie
4 Rosebank

HIGHLAND

1 Aberfeldy
2 Ben Nevis
3 Blair Athol
4 Clynelish
5 The Dalmore
6 Dalwhinnie
7 Deanston
8 Drumguish
9 Edradour
10 Glencadam
11 Glen Deveron
12 Glen Garioch
13 Glengoyne
14 Glenmorangie
15 Glen Ord
16 Glenturret
17 Inchmurrin
18 Oban
19 Old Fettercairn
20 Royal Brackla
21 Royal Lochnagar
22 Teaninch
23 Tomatin
24 Tullibardine

MULL

25 Tobermory

JURA

26 Isle of Jura

ORKNEY

27 Highland Park
28 Scapa

SKYE

29 Talisker

SPEYSIDE

1 Aberlour
2 An Cnoc
3 Ardmore
4 Aultmore
5 The Balvenie
6 Benriach
7 Benrinnes
8 Benromach
9 Caperdonich
10 Cardhu
11 Cragganmore
12 Craigellachie
13 Dailuaine
14 Dallas Dhu
15 Dufftown
16 Glenallachie
17 Glenburgie
18 The Glendronach
19 Glendullan
20 Glen Elgin
21 Glenfarclas
22 Glenfiddich
23 Glen Grant
24 Glen Keith
25 The Glenlivet
26 Glenlossie
27 Glen Moray
28 Glenrothes
29 Glentauchers
30 Imperial
31 Inchgower
32 Knockando
33 Linkwood
34 Longmorn
35 The Macallan
36 Mannochmore
37 Miltonduff
38 Mortlach
39 The Singleton
40 Speyburn
41 Strathisla
42 Tamdhu
43 Tomintoul
44 The Tormore

ISLAY

1 Ardbeg
2 Bowmore
3 Bruichladdich
4 Bunnahabhain
5 Caol Ila
6 Lagavulin
7 Laphroaig

CAMPBELTOWN

1 Springbank

ARRAN

1 Arran

Malt whisky's uit de hele wereld

Hoewel Schotland voor sommigen een synoniem is voor whisky, wordt de drank ook elders geproduceerd. De ingrediënten zijn vers, schoon water, gerst, turf en een koel, gematigd klimaat, waardoor de whisky langzaam in houten vaten kan rijpen. Single malt whisky's worden ook in Noord- en Zuid-Ierland, Japan en Tasmanië geproduceerd.

Noord-Ierland

Doordat Noord-Ierland zo dicht bij Schotland en de Hebriden ligt, denken veel mensen dat het stoken van whisky vanuit Ierland naar Schotland is gekomen, aan het begin van de 16e eeuw. Volgens recent onderzoek op het eiland Rhum, ten zuiden van het eiland Skye, klopt dit niet en stookten de Schotten 4000 jaar geleden al whisky. Wat echter door niemand wordt betwist, is dat beide landen elkaars product hebben beïnvloed.

Er zijn veel overeenkomsten tussen Noord-Ierland en Schotland. Ze hebben dezelfde taal, het Gaelic, hoewel die zich in beide landen verschillend heeft ontwikkeld, en het landschap is ongeveer hetzelfde, met grote meren, kabbelende beken, turflanden, glooiende landbouwgebieden en bergen. Volgens de legende was de Giant's Causeway in het Noord-Ierse graafschap Antrim zelfs een voetpad naar Schotland. Dat is natuurlijk niet waar, omdat de Giant's Causeway is ontstaan door erosie door de zee.

Bushmills is de oudst geregistreerde distilleerderij en bevindt zich in Coleraine ten zuiden van de Mull of Kintyre. Ze ligt daardoor zuidelijker dan de meeste distilleerderijen in Schotland.

Ierland

In de 14e eeuw was de kunst van het whisky stoken overal bekend in Ierland. Veel van de huidige productie bestaat uit een combinatie van granen en ongemoute gerst, haver, tarwe en rogge. Diverse bedrijven produceren af en toe een single malt, zoals Middleton en Cooley. Het Ierse klimaat is wat zachter dan het Schotse en daarom zijn de whisky's iets kruidiger van smaak en hebben ze een frisse afdronk.

Japan

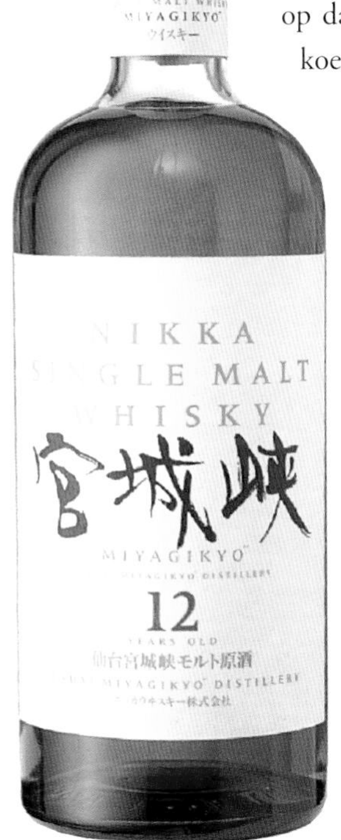

De eerste Japanse stokers werden opgeleid in Schotland en namen hun kennis mee naar de sake-distilleerderijen in Japan. Het landschap van het noordelijke eiland, Hokkaido, lijkt sterk op dat van de Schotse hooglanden, met turfgrond, bergen en koel, helder, over granietrotsen stromend water. Japanse turf geeft echter een minder intens aroma dan de Schotse. Het grootste bedrijf, Suntory, heeft distilleerderijen in Yamazaki bij Kyoto, Hakushu en Noheji op het hoofdeiland Honshu. Suntory produceert vooral voor consumptie in eigen land; zo'n 3% is bestemd voor de export. Het op een na grootste bedrijf is Nikka, dat twee soorten single malt produceert: Nikka en Yoichi. Het derde bedrijf heet Sanraku Ocean, dat ook twee distilleerderijen heeft, waarvan er slechts één malt whisky produceert.

Tasmanië

Andrew Morrison is in de Cradle Mountain-distilleerderij begonnen met de productie van een single malt. Tasmanië heeft een ideaal klimaat voor whisky en de juiste plaatselijke ingrediënten.

Genieten van single malt whisky

Er hangt een mysterieuze sfeer rond het drinken van een single malt whisky. Velen denken dat het een mannenaangelegenheid is. In cartoons en artikelen zien we plaatjes van oude mannen achter een krant in hun herenclub, of van kenners die discussiëren over de voordelen van de diverse malts.

Ook over het beste moment om whisky te drinken lopen de meningen uiteen. In het algemeen kan whisky altijd worden gedronken, hoewel we het misschien niet zo moeten aanpakken als de bewoners van de Hebriden, waarover John Stanhope in zijn dagboek in 1806 schreef: "... ze drinken hun *streah*, of glas whisky, nog steeds voor het ontbijt; hoewel dat Engelsen bepaald niet als smakelijk in de oren klinkt, lijkt het in elk geval wel zeer verkwikkend te zijn te oordelen naar het gezonde uiterlijk en de blozende huid van de inwoners – in zo'n nat klimaat is het eigenlijk een absolute noodzaak om enige spiritualiën te nuttigen. Extra *streahs* worden overdag nooit geweigerd."

Misschien moeten we het advies van W.C. Fields opvolgen: "Ik gorgel diverse malen per dag met whisky en ben in geen jaren verkouden geweest."

In het overzicht vindt u regelmatig een aanwijzing of u bepaalde malts voor of na de maaltijd moet drinken. Dit zijn mijn persoonlijke richtlijnen en alleen door zelf te experimenteren, ontdekt u uw eigen voorkeur.

Een whiskycollectie beginnen

Het enorme aanbod van single malt whisky's biedt de liefhebber talloze mogelijkheden. Naast de malts van de individuele distilleerderijen zijn er bottelings van specialisten van verschillende leeftijden en sterkten. Het is vrij eenvoudig om zelf een collectie te beginnen – goede slijterijen hebben vaak een aanbod dat de belangrijkste streken van Schotland vertegenwoordigt. Ook Ierse malt whiskey is meestal wel te krijgen.

Ieder heeft zijn eigen smaak, maar de volgende tien single malt whisky's zijn een goede keuze om kennis te maken met de diverse streken:

BOWMORE, 17 jaar oud, *van Islay*

LAPHROAIG, 10 jaar oud, *van Islay*

HIGHLAND PARK, 12 jaar oud, *van Orkney*

TALISKER, 10 jaar oud, *van Skye*

GLENKINCHIE, 10 jaar oud, *van de Lowlands*

THE BALVENIE DOUBLE WOOD, 12 jaar oud, *van Speyside*

BENRIACH, 10 jaar oud, *van Speyside*

THE SINGLETON OF AUCHROISK, 10 jaar oud, *van Speyside*

EDRADOUR, 10 jaar oud, *van de zuidelijke Highlands*

GLENMORANGIE, 12 jaar oud, in sherryvaten gerijpt, *van de Highlands*

Sommige van deze malts worden voor het eten gedronken, andere erna (zie het overzicht voor nadere informatie).

WHISKY BEWAREN

Zodra de whisky uit het vat is gehaald en in een fles is gegoten, stopt het rijpingsproces. De whisky behoudt zijn kleur, aroma en geur zolang de fles verzegeld is. Na opening hoeft u hem, net als sherry of port, niet in één keer op te drinken. Er kan wat alcohol verdampen, vooral als de kurk niet goed zit. Als de fles heel lang open blijft, treden er waarschijnlijk wel wat kleine veranderingen in aroma en smaak op.

Zet geopende flessen rechtop neer, met de kurk er stevig op. Bewaar de drank bij kamertemperatuur, het liefst op een donkere plaats.

Single malt whisky proeven

Van een single malt whisky moet u echt genieten. Met de informatie in dit hoofdstuk leren we u hoe u een malt whisky moet proeven en begrijpt u de proefrapporten straks beter.

Kijk altijd naar de kleur. Elke malt heeft zijn eigen kleur, van heel lichtgoud tot donkerbruin. Dit is het resultaat van het rijpingsproces, dat plaatsvindt in massief eikenhouten vaten waar vroeger bourbon, sherry, port of madeira in heeft gezeten, zodat die kleur en geur tijdens het rijpen langzaam in de whisky worden opgenomen.

Giet een beetje whisky in een glas en dek het glas even met uw hand af. Til uw hand iets op om de geur van de whisky vrij te laten. De whiskyblender gebruikt een 'snuffelglaasje' om aan een single malt te ruiken. Het heeft dezelfde vorm als een sherryglas, zodat de geuren niet vrijkomen en de diverse aroma's gemakkelijker te herkennen zijn.

Til uw hand nu helemaal op en draai de whisky rond in het glas. Hierdoor komen andere geuren vrij.

Neem langzaam een klein slokje whisky. Laat de drank over uw tong glijden om diverse smaken in uw mond te krijgen. In verschillende delen van uw mond zult u diverse smaaksensaties ervaren.

Let op hoe de smaak verandert als u de malt doorslikt – dit noemen we de afdronk. Sommige single malts hebben opvallender nasmaken dan andere. Als u het complete effect van de aroma's en smaken van uw malt hebt ontdekt, kunt u wat water toevoegen, want ook hierdoor komen geuren vrij. Eigenlijk zou u daarvoor water moeten gebruiken uit dezelfde bron als de distilleerderij heeft gebruikt, maar dat is meestal niet mogelijk. Water uit een fles is de beste keuze.

Kijk naar de kleur van de whisky.

Whisky ronddraaien om aroma's te bevrijden.

Glas bedekken om aroma's vast te houden.

'Snuffel' aan de whisky.

Proef de whisky.

Glaswerk

Er zijn talloze glazen voor de whiskyliefhebber; de nu volgende soorten zijn de populairste.

Kristal Traditioneel wordt whisky uit een klein bekerglas van geslepen kristal gedronken. Een flacon van geslepen kristal, gevuld met whisky en omringd door bijbehorende glazen, staat mooi, vooral als het licht er door valt, waardoor de whisky van goudkleurig tot robijnrood en amber verandert. Edinburgh Crystal maakt al meer dan 125 jaar van dit kristal.

Ongeslepen glas Sommige whiskydrinkers hebben liever een ongeslepen glas, zodat ze de kleur van de drank beter kunnen zien. Professionele proevers gebruiken een 'snuffelglas' met een specifieke vorm. Zo'n glas heeft een glazen afdekplaatje, zodat de geuren van de malt in het glas 'opgesloten' worden.

Quaich Eeuwen geleden gebruikte men in Schotland de quaich om uit te drinken (afgeleid van het Gaelic *cuach*, ondiepe beker). De quaich is afkomstig uit het westelijke deel van de Highlands; bepaalde maten werden vaste whiskymaten en een daarvan werd meestal gebruikt om bezoekers een welkomstdrank (*the cup of welcome*) of juist een afscheidsdrank (*the farewell* of *parting cup*) aan te bieden. De primitieve houten uitvoering werd vervangen door een van hoorn en later zilver. De simpele vorm met twee oren is gebleven. (Overgenomen uit Hamilton & Inches Ltd., Edinburgh.)

Edinburgh-kristal.

Voor de echte liefhebber: een quaich en heupflacon.

Overzicht van
single malt
whisky's

Richtlijnen voor gebruik

Een oud Schots gezegde luidt: *"A whisky bottle's an awful inconvenient thing: it's owr muckle for ane, an'nae eneuch for twa!"* Dit betekent zoveel als: een fles whisky is te veel voor één, maar te weinig voor twee. Ik raad u aan om iets minder enthousiast de beschreven whisky's te proeven.

Als u de richtlijnen op blz. 46-47 opvolgt, leert u genieten van al die verschillende malts. Wie nog nooit een single malt heeft geproefd, moet een drupje water toevoegen, zodat de smaak wat minder intens is en het gehemelte beter van de diverse smaken kan genieten. Als u geen water toevoegt, krijgt u een flinke klap en raakt u misschien nooit meer een Schotse whisky aan. Begin met een zachtere Lowland-malt, probeer dan een Speyside en pas dan de malts van Orkney, Mull, Jura en Islay. Op die manier leert u de verschillen in de malts ontdekken en de smaken van heide, turf, moeras en zee onderscheiden.

In het eerste deel zijn distilleerderijen opgenomen waarvan de single malts overal verkrijgbaar zijn. De meeste zijn volledig operationeel, maar sommige zijn een tijdje gesloten geweest en kunnen elk moment weer starten. In de Schotse whiskybranche spreekt men van 'in de mottenballen leggen': alles wordt perfect onderhouden tot de productie weer op gang komt.

Er staan ook Schotse, Noord-Ierse en Japanse whisky's bij, maar jammer genoeg waren ze niet allemaal beschikbaar voor het proeven. Japan heeft minstens 15 distilleerderijen, maar het leeuwendeel van hun productie wordt in eigen land verkocht en de export is te verwaarlozen. In Ierland worden twee single malts geproduceerd bij Cooley (Tyrconnell en Connemara) en in Tasmanië is Castle Mountain verkrijgbaar.

De whisky's staan in alfabetische volgorde, met vermelding van hun land/streek van herkomst. Elke streek heeft een eigen kleur, dezelfde als op de kaart op blz. 40-41.

In elke inleiding vindt u informatie over de distilleerderij, historische feiten, de oprichtingsdatum van het bedrijf en de vestigingsplaats. Ook adres, telefoonnummer en eventueel faxnummer van de distilleerderij worden vermeld.

Feiten

Feiten over de distilleerderijen staan steeds in dezelfde volgorde, met dezelfde symbolen. Bij gegevens die niet beschikbaar waren toen dit boek werd geschreven, staat NB (niet beschikbaar).

Opgericht Eigenaar Directie Herkomst water
Ketels Vaten Bezoekersinformatie

Leeftijd, bottelings, prijzen

Hier vindt u informatie over de leeftijden die te koop zijn. De leeftijd verwijst naar het aantal jaren dat een whisky in het vat heeft gerijpt voor hij gebotteld wordt. Gemiddeld rijpt een single malt 10 jaar, maar er komen ook veel andere leeftijden voor.

Speciale bottelings zijn in Korea en Japan veel verkrijgbaar. Vraag uw leverancier of hij een speciale botteling te koop heeft.

Prijzen worden vermeld waar ze van toepassing zijn. De IWSC Award is een jaarlijkse prijs van de International Wine and Spirits Competition.

Proefrapport

Elk merk heeft een proefrapport, waarin iets staat over leeftijd, neus en smaak, maar dit is mijn persoonlijke mening!

Aberfeldy

HIGHLAND

Aberfeldy Distillery, Aberfeldy, Perthshire PH15 2EB
Tel: +44 (0)1887 820330; fax: +44 (0)1887 820432

Aberfeldy werd in 1896 opgericht door John Dewar & Sons Ltd. op land dat toebehoorde aan de markies van Breadalbane. De distilleerderij werd net buiten de stadsgrenzen van Aberfeldy gebouwd, aan de zuidelijke oever van de rivier de Tay. De belangrijkste waterbron is de Pitilie Burn, een beekje dat al sinds mensenheugenis wordt geassocieerd met whisky en dat tot 1867 ook een andere distilleerderij van water voorzag. Het bedrijf werd in 1917 gesloten, omdat de regering besloot de gerstvoorraden voor voedsel te bewaren. In 1919 ging Aberfeldy weer open, maar moest tijdens de Tweede Wereldoorlog tot in 1945 weer dicht. In 1972-1973 werd de distilleerderij herbouwd en voorzien van vier nieuwe stoomketels.

Op het etiket van een fles Aberfeldy staat een eekhoorn afgebeeld; vlak bij de distilleerderij is namelijk een kolonie eekhoorns. Deze malt heeft een prachtige gouden kleur met een rode gloed.

feiten

- 1896
- United Distillers
- G. Donoghue
- Pitilie Burn
- 2 wash, 2 spirit
- NB
- Pasen-okt. ma.-vrij. 10.00-16.00

leeftijd, bottelings, prijzen

Aberfeldy 15 jaar 43%

van de distilleerderij

proefrapport

LEEFTIJD: 15 jaar 43%

NEUS: warm; sherry en nootmuskaat

SMAAK: middelzwaar, met een vleugje rook

HIGHLAND
SINGLE MALT
SCOTCH WHISKY

ABERFELDY

distillery was established in 1898 on the *road* to *Perth* and south *side* of the *RIVER TAY.* Fresh *spring water* is taken from the nearby *PITILIE burn* and used to produce this *UNIQUE single MALT SCOTCH WHISKY* with its *distinctive* PEATY nose.

AGED 15 YEARS

Distilled & Bottled in *SCOTLAND*
ABERFELDY DISTILLERY
Aberfeldy, Perthshire, *Scotland*

43% vol 70 cl

Aberlour

SPEYSIDE

ABERLOUR DISTILLERY, ABERLOUR, BANFFSHIRE AB38 9PJ
TEL: +44 (0)1340 871204; FAX: +44 (0)1340 871729

ABERLOUR IS Gaelic voor 'mond van de kabbelende beek', wat waarschijnlijk slaat op de bron die op het terrein van de distilleerderij is gevonden. Mogelijk was de zuiverheid van deze bron voor James Fleming de aanleiding om hier in 1879 een distilleerderij op te richten. Het bedrijf is herhaaldelijk in andere handen overgegaan tot het in 1945 door S. Campbell & Sons werd gekocht. Tegenwoordig wordt het beheerd door Campbell Distillers, het Britse filiaal van Pernod-Ricard. Aberlour ligt aan de voet van Ben Rinnes, niet ver van de Linn of Ruthie, die 100 m naar beneden stroomt in de Lour Burn. Aberlour is een amberkleurige single malt.

feiten

- 1826
- Campbell Distillers Ltd.
- Alan J. Winchester
- Bronnen op Ben Rinnes
- 2 wash, 2 spirit
- NB
- Geen bezoekers

proefrapport

LEEFTIJD: 10 jaar 40%
NEUS: uitgesproken mout- en karamelaroma.
SMAAK: middelzwaar, met vleugjes turf en honing.

An Cnoc

SPEYSIDE

KNOCKDHU DISTILLERY, KNOCK, BIJ HUNTLY, ABERDEENSHIRE AB5 5LJ

TEL: +44 (0)1466 771223; FAX: +44 (0)1466 771359

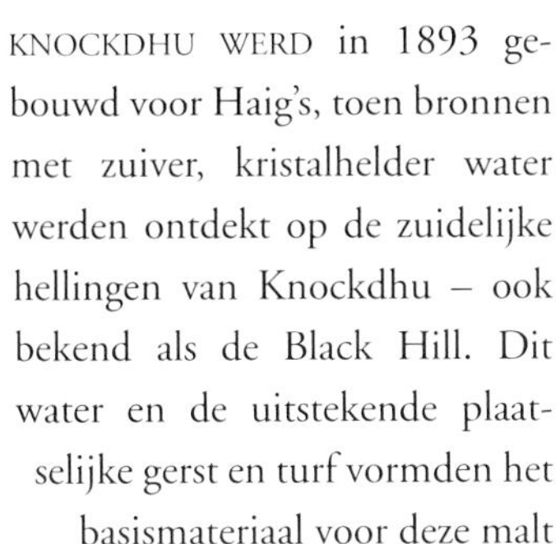

KNOCKDHU WERD in 1893 gebouwd voor Haig's, toen bronnen met zuiver, kristalhelder water werden ontdekt op de zuidelijke hellingen van Knockdhu – ook bekend als de Black Hill. Dit water en de uitstekende plaatselijke gerst en turf vormden het basismateriaal voor deze malt whisky. De productie startte in 1894 en wekelijks werden 3000 Amerikaanse gallons gedistilleerd in de twee met stoom verhitte *pot stills.* Het grootste deel van de productie was bestemd voor blended whisky en er was

feiten

- 1893
- Inver House Distillers Ltd.
- S. Harrower
- Bronnen aan de voet van Knockdhu
- 1 wash, 1 spirit
- Okshoofden
- Geen bezoekers

Knockdhu

SINGLE HIGHLAND MALT
SCOTCH WHISKY

Established 1894

nauwelijks iets van deze uitstekende single malt afzonderlijk te krijgen, tot het bedrijf in 1988 werd gekocht door Inver House Distillers Ltd. en de naam An Cnoc kreeg. An Cnoc is een heel licht goudkleurige malt die op 12-jarige leeftijd wordt gebotteld.

leeftijd, bottelings, prijzen

An Cnoc 12 jaar 40%

proefrapport

LEEFTIJD: 12 jaar 40%

NEUS: zacht, zeer aromatisch met een vleugje vanille-ijs en rook.

SMAAK: een scala aan fruitsmaken, van droge citrus tot warm tropisch, met een lange, soepele afdronk. Een malt voor elke gelegenheid.

Ardbeg

ISLAY

Ardbeg Distillery, Port Ellen, Isle of Islay PA42 7EB
Tel: +44 (0)1496 302224

ZODRA HET eiland Islay in zicht komt, doemen grote, lage distilleerderijen op. Dit zijn de Kildalton Distilleries; de distilleerderij het verst naar het oosten is Ardbeg. Omstreeks 1798 werd er al gestookt, maar pas in het jaar 1815 begon de familie MacDougall voor de handel te produceren. In 1886 werkten er 60 van de 200 dorpelingen voor het bedrijf en werden er jaarlijks 300.000 Amerikaanse gallons pure alcohol geproduceerd. In 1990 trad Ardbeg toe tot Allied Distillers Ltd. en in 1997 werd Ardberg verkocht aan Glenmorangie Plc. Ardberg is volledig operationeel. Over zo'n 10 jaar komen er nieuwe voorraden van deze heerlijke whisky op de markt.

feiten

- 1798
- Glenmorangie Plc.
- Stuart Thomson
- Lochs Arinambeast en Uigedale
- 1 wash, 1 spirit
- Hergebruik
- Geen bezoekers

proefrapport

LEEFTIJD: 1974 40%

NEUS: een vol, turfachtig aroma, iets medicinaal.

SMAAK: rokerig, rijk, met een prima, ronde afdronk. De moeite waard.

Ardmore

SPEYSIDE

ARDMORE DISTILLERY, KENNETHMONT, HUNTLY,
ABERDEENSHIRE AB54 4NH
TEL: +44 (0)1464 831213; FAX: +44 (0)1464 831428

ARDMORE WERD in 1898 door William Teacher & Sons gebouwd bij Kennethmont. Dit gebied ligt vlak bij de rivier de Bogie aan de rand van de Grampians, de lage bergketen in Midden-Schotland die de Lowlands en de Highlands van elkaar scheidt. In 1955 werd het aantal van twee stookketels verdubbeld naar vier en in 1974 naar acht. Veel van de oorspronkelijke kenmerken van de distilleerderij zijn bewaard gebleven, zoals een met kolen gestookte ketel en een stoommachine.

Het leeuwendeel van de productie wordt gebruikt voor blended whisky, met name Teacher's Highland Cream. Soms zijn speciale bottelings van deze licht goudkleurige malt met een zoete, volle smaak verkrijgbaar.

feiten

- 1898
- Allied Distillers Ltd.
- Jim Black
- Plaatselijke bronnen
- 4 wash, 4 spirit
- NB
- Geen bezoekers

proefrapport

LEEFTIJD: 1981 40%

NEUS: zoet, veelbelovend

SMAAK: krachtig, moutig, zoet op het gehemelte met droge afdronk. Een goede malt voor na 't eten.

Arran

HIGHLAND—ARRAN

ARRAN DISTILLERY, LOCHRANZA, ARRAN, ARGYLL, KA27 8HJ
TEL: +44 (0)1770 830624; FAX: +44 (0)1770 830364

IN 1994 richtte de familie Currie Isle of Arran Distillers op. Arran heeft een lange geschiedenis en de whisky die ervandaan kwam, had altijd een goede reputatie. De laatste distilleerderij die hier werkzaam was, Lagg, werd in 1837 gesloten; het is dus al meer dan 160 jaar geleden dat er op het eiland whisky werd gestookt.

Arran is een familiebedrijf en de Curries hebben een nieuwe distilleerderij gebouwd in het dorp Lochranza. De distilleerderij ligt in een door heuvels omringde vallei, dicht bij een 14e-eeuws kasteel en naast de Eason Biorach, die een bron van zuiver water vormt.

Om Arran bekendheid te geven, lanceerde het bedrijf een campagne waarbij klanten een obligatie konden kopen die hun in het jaar 2001 het recht geeft op een kistje van 12 flessen Isle of Arran Founder's Reserve single malt whisky. Obligatiehouders zijn ook leden van

feiten

- 1994
- Isle of Arran Distillers Ltd.
- Gordon Mitchell
- Eason Biorach
- 1 wash, 1 spirit
- Ex-sherry-okshoofden en -vaten
- Hele jaar open 10.00-18.00 Rondleidingen, audiovisuele show, tentoonstelling, winkel en restaurant

de Isle of Arran Malt Whisky Society, waardoor ze speciale blends en malts van het bedrijf kunnen kopen.

In juni 1995 druppelde de eerste alcohol uit de ketels, die nu ligt te rijpen in okshoofden waar vroeger sherry in heeft gezeten. De drank kan pas in juni 1998 whisky worden genoemd en het bedrijf verwacht de eerste flessen in 2001 te kunnen verkopen, als de alcohol enigszins rijp is. Het lijkt erop dat de malt een turfachtige smaak zal hebben met zoete ondertonen. Intussen worden er diverse andere merken op de markt gebracht, zoals Eileandour. De naam is ontleend aan het Gaelic voor 'eilandwater' en is een blend van Highland-malts en malts van de Schotse eilanden.

Wie op dit prachtige eiland is, moet echt een bezoekje brengen aan deze nieuwe distilleerderij.

proefrapport

LEEFTIJD: First Production 1995 63,5%
NEUS: zachter en zoeter dan je zou verwachten van een nieuwe alcohol.
SMAAK: iets rauw, complexe smaken van mout en kruiden.

LEEFTIJD: 1 Year Old Spirit 1996 61,5%
NEUS: minder rauw aroma, met vleugje sherry en turf.
SMAAK: je proeft al iets van de toekomstige kwaliteit. Nog niet rijp, maar de smaak is breder, met elementen van mout, peper, honing en turf; zoete nasmaak.

LEEFTIJD: Eileandour, 10 jaar oud
NEUS: sherry met ondertonen van turf.
SMAAK: vol, eerst iets krachtig op de mond, daarna vleugjes vanille en honing; lange, zachte nasmaak.

Auchentoshan

LOWLAND

AUCHENTOSHAN DISTILLERY, DALMUIR, DUNBARTONSHIRE G81 4SG
TEL: +44 (0)1389 878561; FAX: +44 (0)1389 877368

AAN DE noordkant van Glasgow is een glimp van de Auchentoshan-distilleerderij te zien, tussen de heuvels van Kilpatrick en de rivier de Clyde. Auchentoshan werd in 1800 gebouwd en ging van hand tot hand tot Eadie Cairns het bedrijf in 1969 kocht en verbouwde. In 1984 werd het gekocht door Morrison-Bowmore Distillers, eigenaars van Glen Garioch en Bowmore.

feiten

- 1800
- Morrison-Bowmore Distillers Ltd.
- Stuart Hodkinson
- Loch Cochno
- 1 wash, 1 tussenketel, 1 spirit
- Ex-bourbon en sherry
- Geen bezoekers

Auchentoshan is een schoolvoorbeeld van een Lowland-malt. De whisky wordt drie keer gestookt en gisting vindt plaats in zowel larikshouten als roestvrijstalen *washbacks*. Eind 19e eeuw waren er veel distilleerderijen in deze streek, maar er zijn er nog maar zes van over, waarvan er vier in de mottenballen liggen. Alleen Auchentoshan en Glenkinchie zijn volledig operationeel. Auchentoshan heeft een fris, iets citroenachtig aroma met een warme kleur.

leeftijd, bottelings, prijzen

Morrison-Bowmore brengt Auchentoshan in 2 versies: zonder leeftijd en 10 jaar

1992 IWSC gouden medaille (21 jaar)

1994 IWSC gouden medaille (21 jaar)

proefrapport

LEEFTIJD: zonder leeftijd 40%

NEUS: warm, iets citrusachtig; uitnodigend.

SMAAK: soepele fruitsmaken met een uitgesproken nasmaak. Een malt om op elk gewenst moment van te genieten.

LEEFTIJD: 10 jaar 40%

NEUS: fris aroma met citrus en rozijnen.

SMAAK: zacht zoet, met een vleugje eik en citroen en een lange, ronde nasmaak.

Aultmore

SPEYSIDE

AULTMORE DISTILLERY, KEITH, BANFFSHIRE AB55 3QY

TEL: +44 (0)1542 882762; FAX: +44 (0)1542 886467

AULTMORE WERD in 1895 opgericht door Alexander Edward, tevens eigenaar van de Benrinnes Distillery. Aultmore (Gaelic voor 'grote beek') staat langs de Auchinderran Burn. In 1898 kocht Edward de distilleerderij in Oban en lanceerde de Oban & Aultmore-Glenlivet Distilleries Ltd. Andere belangrijke mensen in het bedrijf waren de heren Greig & Gillespie, whiskyblenders in Glasgow, en de heer Brickmann, een whiskyhandelaar die samenwerkte met Pattisons Ltd, whiskyblenders te Leith, Edinburgh. Jammer genoeg ging Pattisons in 1899 failliet en liep de productie sterk terug. In 1923 werd Aultmore gekocht door John Dewar & Sons Ltd. Dit bedrijf was het eerste dat zijn afval verwerkte tot veevoer.

feiten

- 1895
- United Distillers
- Jim Riddell
- Auchinderran Burn
- 2 wash, 2 spirit
- NB
- Geen bezoekers

leeftijd, bottelings, prijzen

Aultmore 12 jaar 43%

proefrapport

LEEFTIJD: 12 jaar 43%

NEUS: verfijnd, zomers, met een vleugje honing en rook.

SMAAK: ronde malt met een warme, gladde, iets boterachtige smaak.

The Balvenie

SPEYSIDE

WILLIAM GRANT & SONS LTD., THE BALVENIE DISTILLERY,
DUFFTOWN, KEITH, BANFFSHIRE AB55 4DH
TEL: +44 (0)1340 820373; FAX: +44 (0)1340 820805

THE BALVENIE ligt vlak bij het oude Balvenie-kasteel en is in 1892 door William Grant gebouwd, naast Glenfiddich. Beide distilleerderijen behoren nog steeds tot hetzelfde familiebedrijf. Balvenie is een van de meest traditionele distilleerderijen van Schotland; waar mogelijk wordt gerst uit de omgeving gebruikt, die op de vloer gemout wordt. De ketels zijn de afgelopen eeuw niet veranderd.

Er worden drie verschillende malts geproduceerd: The Balvenie Founders Reserve (10 jaar oud), The Balvenie Double Wood (12 jaar oud) en The Balvenie Single Barrel (15 jaar oud), die in eikenhouten sherryvaten wordt gerijpt – een beperkte editie van zo'n 300 flessen uit één vat. The Balvenie wordt in een speciale mini-geschenkverpakking verkocht, wat een ideale manier is om kennis te maken met deze speciale malts.

The Balvenie single malts lopen qua kleur uiteen van licht strokleurig en honinggoud tot diep amber met een koperen gloed.

feiten

- 1892
- William Grant & Sons Ltd.
- Bill White
- De Robbie Dubh-bronnen
- 4 wash, 4 spirit
- Eikenhout – Spaanse sherry en Amerikaanse bourbon
- Geen bezoekers

leeftijd, bottelings, prijzen

10 jaar Founders Reserve 40%
12 jaar Double Wood 40%
15 jaar Single Barrel 50,4%

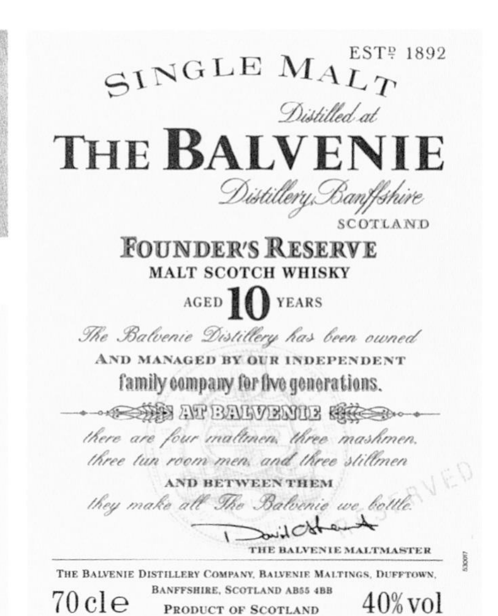

proefrapport

LEEFTIJD: 10 jaar Founders Reserve 40%
NEUS: rokerig, met citrus en een vleugje honing.
SMAAK: droge, verfrissende malt met een ronde smaak en een vleugje zoet uit de sherryvaten.

LEEFTIJD: 12 jaar Double Wood 40%
NEUS: verrukkelijk, weelderig
SMAAK: vol, soepel op het gehemelmelte met een vollere, zoetere afdronk. Een goede malt na het eten.

LEEFTIJD: 15 jaar Single Barrel 50,4%
NEUS: doordringend en droog, met een vleugje zoet.
SMAAK: 15 jaar rijpen geeft een rijke, zachte malt met de volle nasmaak van karamel.

EST 1892
The Balvenie Distillery
PROPS: WILLIAM GRANT & SONS LTD.

ESTD 1892
SINGLE MALT
Distilled at
THE BALVENIE
Distillery, Banffshire
SCOTLAND
DOUBLEWOOD
MATURED IN TWO WOODS
AGED 12 YEARS
FIRST CASK
SECOND CASK
MALT SCOTCH WHISKY
PRODUCT OF SCOTLAND
70cle
40%vol

Ben Nevis

HIGHLAND

BEN NEVIS, LOCH BRIDGE, FORT WILLIAM PM33 6TJ

TEL: +44 (0)1397 702476; FAX: +44 (0)1397 702768

BEN NEVIS is de enige distilleerderij die water uit de hoogste berg van Groot-Brittannië haalt. Het bedrijf werd in 1825 door John Macdonald gebouwd, beter bekend als Long John, omdat die naam nog steeds wordt geassocieerd met whisky. Volgens een artikel in de *Illustrated London News* uit 1848 bezocht koningin Victoria de distilleerderij. Ben Nevis bleef groeien, en toen in 1894 de West Highland Railway officieel werd geopend, was er een goedkope manier om kolen naar de distilleerderij te transporteren. In 1955 werd het bedrijf verkocht aan Joseph Hobbs. Hij installeerde een Coffey-stookketel (zie blz. 241-242), waarna Ben Nevis een tijdlang de enige distilleerderij in Schotland was die zowel malts als grain whisky's produceerde. Een paar jaar geleden werd de Coffey-ketel verwijderd. Na nog een paar keer van eigenaar te zijn veranderd, werd het bedrijf in 1989 door de Japanse Nikka Whisky Distilling Company Ltd. gekocht.

feiten

- 1825
- Nikka Whisky Distilling Co. Ltd.
- Colin Ross
- Alt a Mhulin op Ben Nevis
- 2 wash, 2 spirit
- Nieuwe sherry- en bourbonvaten, hergebruikte sherryvaten en okshoofden
- Jan.-okt. 09.00-17.00

leeftijd, bottelings, prijzen

Jaarlijks wordt maar een kleine hoeveelheid Ben Nevis gebotteld, meestal cask strength – leeftijden 19, 21 en 26 jaar

proefrapport

LEEFTIJD: 1970 26 jaar oud

NEUS: zeer geurig, met een zoet, vol maltaroma.

SMAAK: volle malt, met sherry-, karamel- en turfsmaken; een lange, zoete afdronk. Een ideale malt voor na de maaltijd.

Benriach

SPEYSIDE

BENRIACH DISTILLERY, LONGMORN, BIJ ELGIN, MORAYSHIRE

TEL: +44 (0)1542 783400; FAX: +44 (0)1542 783404

BENRIACH WERD in 1898 opgericht door John Duff, die ook de Longmorn Distillery enkele honderden meters verderop oprichtte. Beide distilleerderijen waren vroeger per spoor verbonden, waarop een eigen stoomlocomotief, The Puggy, heen en weer reed met kolen, gerst, turf en vaten. Benriach produceerde maar een paar jaar whisky en sloot in 1900. De mouterijen bleven wel open om gemoute gerst voor Longmorn te leveren.

feiten

- 1898
- Seagram Distillers Plc.
- Bob MacPherson
- Plaatselijke bronnen
- 2 wash, 2 spirit
- NB
- Op afspraak

BENRIACH DISTILLERY
EST.1898
A SINGLE
PURE HIGHLAND MALT
Scotch Whisky
Benriach Distillery, in the heart of the Highlands, still malts its own barley. The resulting whisky has a unique and attractive delicacy
PRODUCED AND BOTTLED BY THE
BENRIACH
DISTILLERY Cº
ELGIN, MORAYSHIRE, SCOTLAND, IV30 3SJ
Distilled and Bottled in Scotland
AGED 10 YEARS
70cl e 43%vol

The Longmorn Distilleries Co. Ltd. opende het bedrijf weer in 1965, waarna het in 1978 werd gekocht door Seagram Distillers Plc. Sindsdien vormt Benriach een belangrijk onderdeel van het aanbod van Seagram: 100 Pipers, Queen Anne en Something Special. In 1994 werd Benriach voor het eerst uitgegeven als een 10 jaar oude single malt, als onderdeel van The Heritage Selection. Bij Benriach wordt nog op de traditionele manier gemout.

Benriach single malt is een lichte, honingkleurige whisky.

leeftijd, bottelings, prijzen

Benriach 10 jaar 43%

proefrapport

LEEFTIJD: 10 jaar 43%

NEUS: elegant, fijn aroma, met een vleugje zomerbloemen.

SMAAK: licht, zacht, met zoete fruitsmaken en een droge, duidelijke nasmaak met een vleugje turf. Een verwarmende malt voor borreltijd en na het diner.

Benrinnes

SPEYSIDE

BENRINNES DISTILLERY, ABERLOUR, BANFFSHIRE AB38 9NN
TEL: +44 (0)1340 871215; FAX: +44 (0)1340 871840

DE HUIDIGE Benrinnes-distilleerderij werd in 1835 opgericht, maar volgens de archieven begon Peter McKenzie hier in 1826 al te stoken. Het bedrijf werd door John Innes oorspronkelijk Lyne of Ruthrie genoemd, maar hij moest de stokerij met bijgebouwen wegens faillissement verkopen aan William Smith. Deze veranderde de naam in Benrinnes, maar moest helaas ook verkopen, en wel aan David Edward. Edwards zoon Alexander nam het bedrijf later over, waarna het bedrijf in 1922 door John Dewar & Sons Ltd. werd gekocht.

Benrinnes staat ruim 200 m boven zeeniveau en gebruikt water uit de granietheuvels. Alfred Barnard schreef in 1887 dat het water "uit bronnen op de top van de berg omhoog komt en op een heldere dag op enkele mijlen afstand te zien is, sprankelend over de uitstekende rotsen op zijn weg naar beneden, waarbij het over met mos begroeide banken en grind stroomt die het perfect filteren".

feiten

- 1835
- United Distillers
- Alan Barclay
- Scurran Burn en Rowantree Burn
- 2 wash, 2 spirit
- NB
- Geen bezoekers

leeftijd, bottelings, prijzen

Benrinnes 15 jaar

Benrinnes 21 jaar gedistilleerd in 1974 60,4%, beperkte editie van United Distillers Rare Malts Selection

1994 ROSPA Health & Safety Gold Award

proefrapport

LEEFTIJD: Benrinnes 21 jaar uit 1974 60,4%

NEUS: rijk butterscotch-aroma

SMAAK: volle malt met een vleugje vanille en fruit; iets olieachtige textuur en een warme afdronk met lange nasmaak. Een schitterende single malt.

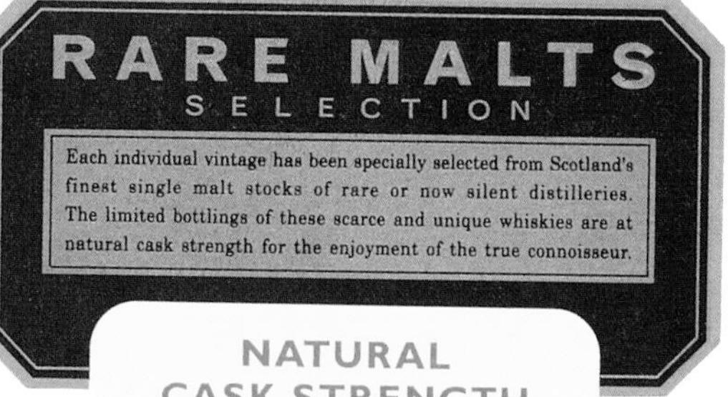

Benromach

SPEYSIDE

BENROMACH DISTILLERY, FORRES, MORAYSHIRE IV35 0EB
TEL: +44 (0)1343 545111; FAX: +44 (0)1343 540155

DE BENROMACH DISTILLEERDERIJ werd in 1898 gebouwd door Duncan McCallum en F.W. Brickman. De geschiedenis van dit bedrijf kent vele pieken en dalen, want het ging bijna meteen weer dicht en in 1907 weer open onder de naam Forres, met Duncan McCallum nog steeds aan het roer. Na de Eerste Wereldoorlog leefde het bedrijf weer op onder de naam Benromach, maar van 1931 tot 1936 lag het weer stil. In 1938 werd het gekocht door de Associated Scottish Distillers. In 1966 is de distilleerderij verbouwd, waarna het in 1983 werd gesloten door United Distillers.

In 1992 kwam Benromach in handen van Gordon & MacPhail. De distilleerderij zal pas in 1998 volledig operationeel zijn.

feiten

- 1898
- Gordon & MacPhail
- Niet operationeel
- Chapelton Springs
- 1 wash, 1 spirit
- NB
- Geen bezoekers

proefrapport

LEEFTIJD: 12 jaar 40%

NEUS: licht, zoet en fris.

SMAAK: goede, ronde malt, licht karamel met specerijen en een lange, iets sterke afdronk.

Bladnoch

LOWLAND

BLADNOCH, WIGTOWNSHIRE DG8 9AB
TEL: +44 (0)1988 402235

HELEMAAL IN het zuiden van Schotland staat de Bladnoch-distilleerderij, die in 1817 werd opgericht door Thomas McClelland. Ze bleef een familiebedrijf tot in 1938 de deuren werden gesloten. Nadat Bladnoch meerdere malen in andere handen was overgegaan, werd het bedrijf in 1956 nieuw leven ingeblazen. Nu wordt de single malt whisky door United Distillers op de markt gebracht. Het bedrijf ligt sinds 1993 in de mottenballen.

Bladnoch is alleen nog verkrijgbaar bij Gordon & MacPhail. Met zijn lichte en warme amberkleur is Bladnoch een uitstekende Lowland-malt.

feiten

- 1817
- United Distillers
- Niet operationeel
- Loch Ma Berry
- 1 wash, 1 spirit
- NB
- Geen bezoekers

proefrapport

LEEFTIJD: 1984 40%

NEUS: een zoet, verfijnd aroma.

SMAAK: eerst zoet en licht op de tong, dan komen de rijke smaken van citrus, kaneel en bloemen naar voren.

Blair Athol

HIGHLAND

BLAIR ATHOL DISTILLERY, PITLOCHRY, PERTHSHIRE PH16 5LY

TEL: +44 (0)1796 472161; FAX: +44 (0)1796 473292

BLAIR ATHOL werd in 1798 opgericht door John Stewart en Robert Robertson en in 1825 overgenomen door John Robertson. Het bedrijf ging daarna van hand tot hand en werd in 1860 geërfd door Elizabeth Conacher. In 1882 werd het gekocht door Peter Mackenzie, een wijnhandelaar uit Liverpool, die geboren was in Glenlivet. In 1932 sloot het bedrijf zijn deuren. Het werd gekocht door Arthur Bell & Sons Ltd., maar ging pas in 1949 weer open. In 1973 werd het aantal ketels verdubbeld van twee naar vier.

Op het etiket van een fles Blair Athol staat een otter afgebeeld omdat het water afkomstig is uit de Allt Dour Burn (de otterbeek). Blair Athol is een amberkleurige single malt.

feiten

- 1798
- United Distillers
- Gordon Donoghue
- Allt Dour Burn
- 2 wash, 2 spirit
- NB
- Pasen-sept. ma.-za. 09.00-17.00; zo. 12.00-17.00; okt.-Pasen ma.-vrij. 09.00-17.00; dec.-febr. rondleiding op afspraak

leeftijd, bottelings, prijzen

Blair Athol 12 jaar 43%

proefrapport

LEEFTIJD: 12 jaar 43%

NEUS: een koude grog – fris, honing en citroen.

SMAAK: warme malt met een vleugje zoetigheid en rook.

HIGHLAND
SINGLE MALT
SCOTCH WHISKY

BLAIR ATHOL

distillery, established in 1798, stands on *peaty moorland* in the *foothills* of the *GRAMPIAN MOUNTAINS*. An ancient source of *water* for the *distillery*, *ALLT DOUR BURN* – '*The Burn of the Otter*', flows close by. This *single MALT SCOTCH WHISKY* has a *mellow deep toned* aroma, a *strong fruity* flavour and a *smooth* finish.

AGED 12 YEARS

43% vol — Distilled & Bottled in *SCOTLAND*. BLAIR ATHOL DISTILLERY, Pitlochry, Perthshire, *Scotland*. — 70 cl

Bowmore

ISLAY

Bowmore Distillery, Bowmore, Islay, Argyll PA43 7JS
Tel: +44 (0)1496 810441; Fax: +44 (0)1496 810757

NIETS IS heerlijker dan om op de pier bij Bowmore te zitten, met de distilleerderij achter u en de bloedrode zon die in zee ondergaat. Volgens een Schotse legende is de zee bij Bowmore rood omdat de reus Ennis (Angus) eens Loch Indaal wilde oversteken, waarop zijn honden werden gedood door een draak die wakker was geworden. Bezoekers die over de weg naar de distilleerderij komen, zien de ronde kerk die in 1767 door Daniel Campbell is gebouwd. Het prachtige gebouw heeft een achthoekige toren die bovenaan de hoofdstraat staat. De inwoners van Bowmore zeggen dat de kerk rond is, zodat de duivel zich nergens kan verstoppen.

Zoals alle distilleerderijen op Islay ligt ook Bowmore aan de kust. Maar de opslagplaats ligt onder de zeespiegel; de golven van de Atlantische Oceaan slaan tegen de dikke muren, wat de rijpende whisky een speciale smaak geeft. Bowmore werd in 1779 gebouwd en is een van de

feiten

- 1779
- Morrison-Bowmore Distillers Ltd.
- Islay Campbell
- Rivier de Laggan
- 2 wash, 2 spirit
- Ex-bourbon en sherry
- Ma.-vrij. 10.00, laatste rondleiding 15.30; tegoedbon voor de winkel bij entree

oudst geregistreerde distilleerderijen van Schotland. Tijdens de Tweede Wereldoorlog was Bowmore een basis voor vliegboten van de Coastal Command. In 1963 kocht Stanley P. Morrison de distilleerderij. Een van de opslagplaatsen is verbouwd tot het plaatselijke zwembad en wordt verwarmd door de overtollige hitte van de distilleerderij.

Bowmore produceert een groot aantal verschillende malts en heeft een eigen mouterij waarin de gerst boven met turf gestookte ovens wordt gedroogd. De whisky rijpt in bourbon- en sherryvaten. Qua kleur lopen de malts uiteen van lichtgoud tot amber en brons.

leeftijd, bottelings, prijzen

Bowmore wordt gebotteld zonder leeftijd (Legend) en bij 12, 17, 21, 25 en 30 jaar

Black Bowmore is erg zeldzaam

Voor de export zijn er speciale edities

1992 IWSC Best Single Malt Trophy, 21 jaar

1994 Best Special Edition Malt, Black Bowmore

1995 Distilleerder van het jaar

proefrapport

LEEFTIJD: Legend 40%

NEUS: turf, met een zilt vleugje.

SMAAK: zee- en rooksmaken met citrus en een fris-warme afdronk.

LEEFTIJD: 12 jaar 43%

NEUS: een lichte, rookachtige neus met een krachtiger zeegeur.

SMAAK: de heide in de turf en het vleugje zeelucht zorgen voor een ronde, aangename smaak met een lange afdronk.

LEEFTIJD: 17 jaar 43%

NEUS: naast het rookaroma zijn er vleugjes rijp fruit en bloemen bijgekomen.

SMAAK: een complexe malt vol honing, zeewier, toffee en citrus; lange, zachte afdronk. Perfect voor na het eten.

Bruichladdich

ISLAY

BRUICHLADDICH, ISLAY, ARGYLL PA49 7UN

TEL: +44 (0)1496 850221

DE BRUICHLADDICH DISTILLEERDERIJ ligt aan Loch Indaal en is daarmee de meest westelijk gelegen distilleerderij. Ze werd in 1881 gebouwd door Robert, William en John Gourlay Harvey en was een van de eerste waarbij beton werd gebruikt. In 1886 werd het bedrijf opnieuw geopend onder de naam Bruichladdich Distillery Co. (Islay) Ltd. Er werd tot 1929 whisky geproduceerd, waarna een stilte van zo'n acht jaar volgde. Nu maakt het bedrijf deel uit van Whyte & Mackay, maar sinds 1995 ligt het in de mottenballen. Bruichladdich is een lichte Islay-malt en soepeler dan de gewoonlijk turfachtige malts van Islay.

feiten

- 1881
- Whyte & Mackay Group Inc.
- Niet operationeel
- Eigen reservoir
- 2 wash, 2 spirit
- Amerikaanse witte eik
- Geen bezoekers

proefrapport

LEEFTIJD: 10 jaar 40%

NEUS: een verfrissend subtiel aroma.

SMAAK: gemiddeld vol met een lange nasmaak en ondertonen van citrus en turf.

Bunnahabhain

ISLAY

BUNNAHABHAIN DISTILLERY, PORT ASKAIG, ISLE OF ISLAY,
ARGYLL PA46 7RR
TEL: +44 (0)1496 840646; FAX: +44 (0)1496 840248

WHISKY STOKEN behoort op Islay al 400 jaar tot het dagelijks leven. Bunnahabhain werd in 1883 gebouwd omdat er bij blenders een grote behoefte was aan fijne malt whisky's. De keuze viel op deze plek omdat hij vanaf het vasteland goed per boot bereikbaar was en over veel fris, turfrijk water beschikte. Bunnahabhain is Gaelic voor 'mond van de rivier' en slaat op de rivier de Margadale, aan de monding waarvan de gebroeders Greenless hun distilleerderij bouwden. Voor de bouw werden plaatselijke stenen gebruikt, en de gebouwen vormden een vierkant met een poort in het midden. Tevens bouwde men een pier, huizen voor de arbeiders en de belastinginner en een anderhalf kilometer lange weg om aansluiting te krijgen op de weg vanaf Port Askaig. Het weer in Islay zorgde voor veel vertraging – het stormde eens zo hard dat een groot deel van het bouwwerk instortte en twee gloednieuwe stoomketels over de Sound of Islay wegwaaiden en op Jura terechtkwamen.

feiten

- 1883
- Highland Distilleries Co. Ltd.
- Hamish Proctor
- Rivier de Margadale
- 2 wash, 2 spirit
- Combinatie van bourbon en sherry
- Op afspraak

aged 12 years
"Westering Home"
Bunnahabhain
SINGLE ISLAY MALT SCOTCH WHISKY
PRODUCT OF SCOTLAND
40% vol.
70cl

proefrapport

leeftijd: 12 jaar 40%

neus: duidelijk aroma van zee en zomerbloemen.

SMAAK: verrassend voor een Islay-malt, licht en moutig met slechts een vleugje turf; een rijke, krachtige afdronk. Lekker na het eten.

leeftijd, bottelings, prijzen

Bunnahabhain 12 jaar 40%

Special 1963 Distillation

Oorspronkelijk werd alleen verkocht aan groothandels voor de productie van blended whisky. Pas eind 1970 werd er een 12 jaar oude Bunnahabhain gelanceerd, een licht turfachtige malt met een zacht, soepel karakter en een gouden graankleur.

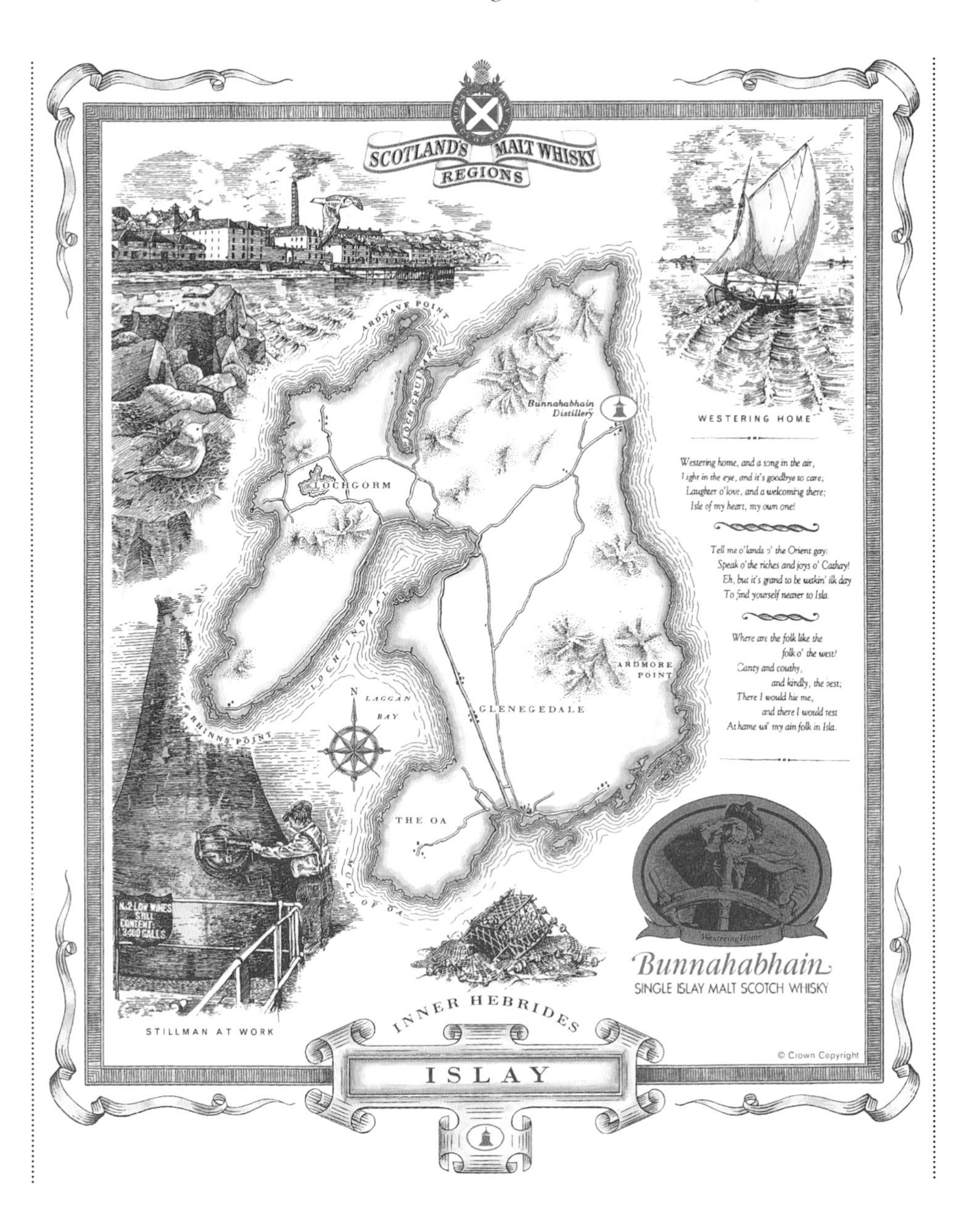
SCOTLAND'S MALT WHISKY
REGIONS
ARDNAVE POINT
LOCH GRUINART
Bunnahabhain Distillery
WESTERING HOME
LOCHGORM
Westering home, and a song in the air,
Light in the eye, and it's goodbye to care;
Laughter o'love, and a welcoming there;
Isle of my heart, my own one!
Tell me o'lands o' the Orient gay:
Speak o' the riches and joys o' Cathay!
Eh, but it's grand to be wakin' ilk day
To find yourself nearer to Isla.
Where are the folk like the
folk o' the west?
Canty and couthy,
and kindly, the best;
There I would hie me,
and there I would rest
At hame wi' my ain folk in Isla.
LOCH INDAAL
ARDMORE POINT
RHINNS POINT
N
LAGGAN BAY
GLENEGEDALE
THE OA
MULL OF OA
No.2 LOW WINES STILL CONTENT: 3400 GALLS
Westering Home
Bunnahabhain
SINGLE ISLAY MALT SCOTCH WHISKY
STILLMAN AT WORK
INNER HEBRIDES
ISLAY
© Crown Copyright

Bushmills

NOORD-IERLAND

OLD BUSHMILLS, BUSHMILLS, CO. ANTRIM BT57 8XH

TEL: +44 (0)1265 731521; FAX: +44 (0)1265 731339

BUSHMILLS IS de oudst geregistreerde distilleerderij in het Verenigd Koninkrijk met een vergunning. Het bedrijf werd in 1608 opgericht en ligt niet ver van de Giant's Causeway. Tot 1988 was Bushmills van Irish Distillers Ltd., waarna het eigendom werd van Pernod-Ricard.

Niet ver van Bushmills komt St Columb's Rill, de waterbron van de distilleerderij, omhoog uit de turfgrond en stroomt in de rivier de Bush. Er zijn geschriften uit 1276 waarin wordt verteld over de drank die in deze streek werd geproduceerd, en omstreeks 1600 waren er talloze stokerijen langs de rivier. Distilleren was een dagelijkse bezigheid in het stadje. De distilleerderij ligt nog steeds aan het water en de pagodevormige mouterijtorens bepalen het beeld van de stad.

feiten

- 1608
- Société Pernod-Ricard
- Frank McHardy
- St Columb's Rill
- 4 wash, 5 spirit
- Ex-bourbon en sherry
- Ma.-do. 09.00-12.00 en 13.30-16.00 's Zomers vrij. 09.00-16.00; za. 10.00-16.00

De overvloedige aanwezigheid van zuiver water en turf garandeerden een voortdurende voorraad grondstoffen. Bij Bushmills wordt de whisky drie keer gestookt, net als bij Auchentoshan en Rosebank in Schotland. Omdat er daardoor minder bestanddelen achterblijven, is het eindresultaat erg zuiver. We weten nooit zeker wat de ene whisky nu zo anders maakt dan de andere, maar afgezien van de drievoudige distillatie ligt Bushmills iets zuidelijker, in een iets warmer klimaat, wat de rijping zou kunnen beïnvloeden. Wat we zeker weten is dat Bushmills een zeer karakteristieke whisky is met een volle smaak.

leeftijd, bottelings, prijzen

Bushmills 10 jaar 40%

Bushmills 16 en 19 jaar

Export 10 jaar 43%

proefrapport

LEEFTIJD: 10 jaar 40%

NEUS: warm, honing met sherry en specerijen

SMAAK: warme, soepele malt met zoete en kruidige smaken. Aanbevolen voor na het diner.

Caol Ila

ISLAY

CAOL ILA DISTILLERY, PORT ASKAIG, ISLAY, ARGYLL PA46 7RL

TEL: +44 (0)1496 840207; FAX: +44 (0) 1496 840660

OP HET ETIKET van een fles Caol Ila staat een zeehond omdat er in de Sound of Jura voor de distilleerderij zeehonden zwemmen. Een van de mooiste uitzichten op het eiland heb je misschien wel vanuit de stokerij, uitkijkend over het water naar de bergen die de Paps of Jura worden genoemd omdat ze soms in de mist verdwijnen en dan ineens weer opdoemen.

feiten

- 1846
- United Distillers
- Mike Nicolson
- Loch Nam Ban
- 3 wash, 3 spirit
- NB
- Bellen voor een afspraak

Hector Henderson, die ook de Camlachie-distilleerderij in Glasgow bezat, bouwde in 1846 de distilleerderij en de huizen voor de arbeiders met stenen uit de omringende heuvels. De distilleerderij heeft een eigen aanlegsteiger. In 1927 kocht United Distillers een meerderheidsbelang in Caol Ila en werd er een eigen stoomschip, de Pibroch, aangeschaft. In 1974 werd de distilleerderij grondig verbouwd, waarna het aantal stookketels van twee naar zes werd uitgebreid. Caol Ila is de grootste distilleerderij op het eiland, en de moderne gebouwen vallen wat uit de toon in het eeuwenoude landschap van Islay.

proefrapport

LEEFTIJD: 15 jaar 43%

NEUS: helder, met aroma's van de zee, rook en appelen.

SMAAK: Caol Ila wordt met 100% turfgestookte mout gedistilleerd; toch heeft deze karakteristieke malt een zachte smaak met een vleugje zee en een heldere afdronk. Beslist de moeite waard!

LEEFTIJD: 29 jaar Distilled 1975 61,12% Rare Malts Selection

NEUS: krachtiger turfachtig aroma.

SMAAK: zacht, droog, met een turfachtige, iets zilte smaak. Een vleugje zoetigheid en een lange, soepele afdronk.

leeftijd, bottelings, prijzen

Caol Ila 15 jaar 43% van United Distillers

29 jaar gedistilleerd 1975 61,12% Limited Edition United Distillers Rare Malts Selection

Caol Ila malt was eerst alleen bij gespecialiseerde zaken te koop, maar wordt nu door United Distillers gebotteld en is te koop bij de betere slijterijen. Caol Ila heeft een lichte strokleur en een ronde, iets turfachtige smaak. Een fantastische kennismaking met Islay-malts.

Caperdonich

SPEYSIDE

CAPERDONICH DISTILLERY, ROTHES, MORAYSHIRE AB38 7BS
TEL: +44 (0)1542 783300

IN 1897 BOUWDE de eigenaar van Glen Grant, majoor James Grant, een tweede distilleerderij die vele jaren bekendstond als Glen Grant No. 2. De hier geproduceerde single malt had een heel eigen karakter. De distilleerderijen stonden met elkaar in verbinding door middel van een pijp over de hoofdstraat, en zoals een verteller uit die tijd schrijft "vloeide de whisky door de straten van Rothes".

feiten

- 1897
- Seagram Co. Ltd.
- Willie Mearns
- De Caperdonich Burn
- 2 wash, 2 spirit
- NB
- Op afspraak

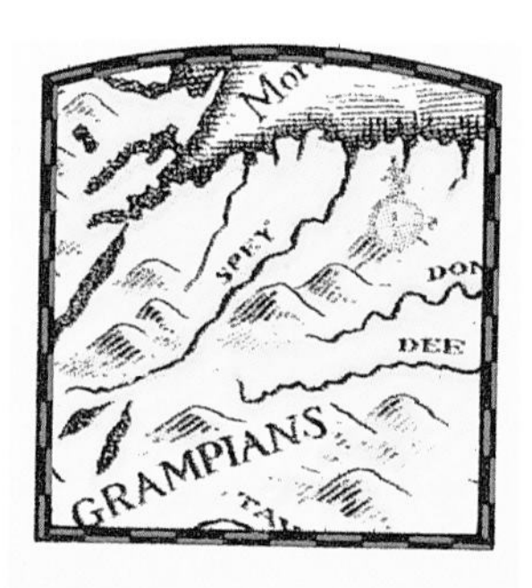

De distilleerderij werd in 1902 gesloten en in 1965 door Glenlivet Distillers Ltd. verbouwd. Haar naam werd Caperdonich, naar de bron waar beide distilleerderijen hun water vandaan halen. In 1967 werd het aantal ketels verdubbeld van twee naar vier. Caperdonich wordt normaal gesproken niet als single malt verkocht, maar wordt door Seagrams gebruikt voor hun beroemde blends. Soms is bij gespecialiseerde handelaren een fles single malt te krijgen.

Caperdonich is een lichte, warme, goudkleurige single malt.

leeftijd, bottelings, prijzen

Niet door de distilleerderij gebotteld, alleen verkrijgbaar bij specialisten als Gordon & MacPhail

proefrapport

LEEFTIJD: 1980 40%

NEUS: zacht aroma met vleugjes turf en sherry.

SMAAK: gemiddeld vol, met een warme, fruitige smaak en een lange, rokerige afdronk.

Cardhu

SPEYSIDE

Cardhu Distillery, Knockando, Aberlour,
Banffshire AB38 7RY
Tel: +44 (0)1346 810204; fax: +44 (0)1340 810491

feiten

- 1824
- United Distillers
- Charlie Smith
- Bronnen op de Mannoch Hill en Lyne Burn
- 3 wash, 3 spirit
- NB
- Jan.-dec. ma.-vrij. 09.30-16.30; mei-sept. za. ook koffieruimte, tentoonstelling en picknickplaats

JOHN CUMMING vestigde zich in 1813 als boer in Cardow in Upper Knockando. Net als de andere boeren begon hij whisky te stoken omdat hij dat op zijn afgelegen boerderij kon doen zonder de aandacht van de *excisemen* te trekken. Omdat er vaak soldaten op de boerderij logeerden, hees Cummings vrouw een rode vlag als ze allemaal aan tafel zaten om andere whiskystokers te waarschuwen. In 1824 vroeg John een vergunning aan. De familie bleef het boeren- en distilleerbedrijf runnen tot Elizabeth Cumming, die de hele zaak al 17 jaar in haar eentje dreef, een stuk grond naast deze boerderij kocht en een nieuwe distilleerderij liet bouwen. Cardow werd in 1893 door John Walker & Sons Ltd. gekocht, waarna het in 1925 fuseerde met de Distillers Company Ltd. De distilleerderij werd in 1960-1961 verbouwd en het aantal stookketels ging van vier naar zes.

leeftijd, bottelings, prijzen

Cardhu 12 jaar 40%

1992 Toilet of the Year Award

proefrapport

LEEFTIJD: 12 jaar 40%

NEUS: warme honing en specerijen – een sprankje winterzon.

SMAAK: fris op het gehemelte, een vleugje honing en nootmuskaat; een soepele afdronk.

In 1981 werd de naam Cardow veranderd in Cardhu. Er zijn 16 huizen bij Cardhu voor werknemers en de boerderij omvat 150 are met gerst, schapen en rundvee. Cardhu is een goudkleurige single malt.

Clynelish & Brora

HIGHLAND

CLYNELISH, BRORA, SUTHERLAND KW9 6LB
TEL: +44 (0)1408 621444; FAX: +44 (0)1408 621131

DE CLYNELISH-DISTILLEERDERIJ werd in 1819 opgericht door de markies van Stafford, die met de dochter van de hertog van Sutherland trouwde. De eerste pachter van het bedrijf was James Harper. In de archieven staat: "De eerste boerderij achter de volkstuinen (bij Brora) is Clynelish, sinds kort verhuurd aan de heer Harper uit het graafschap Midlothian. Op deze boerderij is kort geleden tevens een distilleerderij gebouwd voor een bedrag van £ 750." De volgende pachter was Andrew Ross, terwijl George Lawson in 1846 de huur overnam. Hij breidde de distilleerderij uit en verving de ketels. Toen het bedrijf in 1896 werd verkocht aan Ainsle & Co., blenders in Leith, was het volgens *Harper's Weekly* een "uitzonderlijk waardevol perceel". In 1912 kocht The Distillers Company Ltd. een aandeel van 50% van Clynelish.

feiten

- 1819, herbouwd 1967
- United Distillers
- Bob Robertson
- Clynemilton Burn
- 6 wash, 6 spirit
- NB
- Maart-okt. ma.-vrij. 09.30-16.00; nov.-feb. op afspraak

leeftijd, bottelings, prijzen

Clynelish 14 jaar oud 40%

Clynelish 23 jaar oud gedistilleerd 1972 57,1% bij United Distillers

Rare Malts Selection

Brora 1972 verkrijgbaar bij Gordon & MacPhail en 1982 bij Cadenheads

ROSPA Gold Award for Safety

proefrapport

LEEFTIJD: Clynelish 23 jaar, gedistilleerd 1972 57,1%

NEUS: vol fruit en specerijen, warm, uitnodigend.

SMAAK: soepel, eerst wat droog, toenemend fruitig en zoet; een krachtige afdronk vol smaken. Een zeldzame aanrader.

In 1967-1968 werd een nieuwe distilleerderij gebouwd die de naam Clynelish kreeg, en de oude werd een tijdje gesloten. Toen deze in april 1975 weer openging, werd ze Brora genoemd.

Brora en Clynelish gebruiken dezelfde waterbron, de Clynemilton Burn.

Cragganmore

SPEYSIDE

CRAGGANMORE DISTILLERY, BALLINDALLOCH, BANFFSHIRE AB37 9AB
TEL: +44 (0)1807 500202; FAX: +44 (0)1807 500288

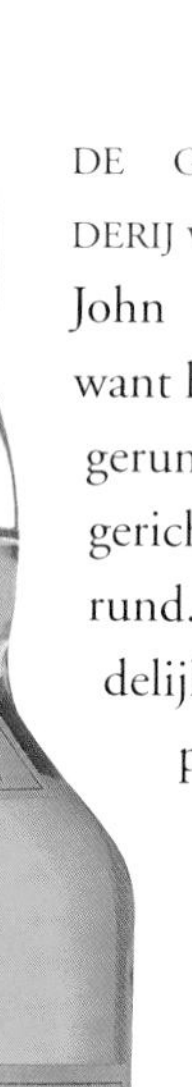

DE GRAGGANMORE DISTILLEERDERIJ werd in 1869 opgericht door John Smith. Hij had ervaring, want hij had vanaf 1850 Macallan gerund, in 1858 Glenlivet opgericht en daarna Wishaw gerund. In 1865 kwam hij uiteindelijk terug naar Speyside als pachter van Glenfarclas. De distilleerderij werd gebouwd bij de Ayeon Farm, aan het spoor van Strathspey. John stierf in 1886, waarna zijn broer, George, verder ging met Cragganmore. George werd opgevolgd door Johns zoon, Gordon, die het vak had geleerd in Zuid-Afrika. In 1923 verkocht de weduwe van Gordon de distilleerderij en Cragganmore ging dicht van 1941 tot 1946. In 1964 werd het bedrijf uitgebreid en het aantal stookketels werd verhoogd van twee naar vier. Cragganmore werd in 1965 opgenomen in The Distillers Company of Edinburgh.

Cragganmore wordt op de markt gebracht door United Distillers als onderdeel van hun Classic Maltpakket.

feiten

- 1869
- United Distillers
- Mike Gunn
- Craggan Burn
- 2 wash, 2 spirit
- NB
- Alleen zakelijke bezoekers, op afspraak

leeftijd, bottelings, prijzen

Cragganmore 12 jaar 40% bij United Distillers

Cragganmore 1978 bij Gordon & MacPhail en 1982 bij Cadenheads

proefrapport

LEEFTIJD: 12 jaar 40%

NEUS: droog, honingaroma.

SMAAK: gemiddeld volle malt met een korte, rokerige afdronk.

Craigellachie

SPEYSIDE

CRAIGELLACHIE DISTILLERY, CRAIGELLACHIE, ABERLOUR,
BANFFSHIRE AB38 9ST
TEL: +44 (0)1340 881211; FAX: +44 (0)1340 881311

CRAIGELLACHIE WERD in 1891 gebouwd door Alexander Edward. De distilleerderij ligt op een heuvel boven het gelijknamige dorp. Het bedrijf werd in 1916 gekocht door Sir Peter Mackie, de vader van White Horse Blended Whisky, en in 1927 door de Distillers Company Ltd. overgenomen. De distilleerderij werd in 1964 gemoderniseerd en het aantal stookketels werd verdubbeld van twee naar vier.

feiten

- 1891
- United Distillers
- Archie Ness
- Little Conval Hill
- 2 wash, 2 spirit
- NB
- Geen bezoekers

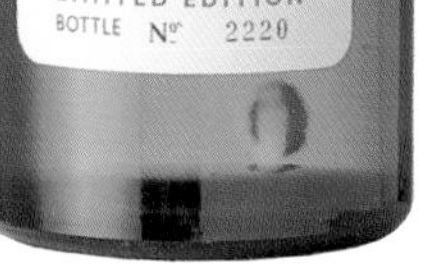

proefrapport

LEEFTIJD: 22 jaar 60,2%

NEUS: krachtig, vol turfachtig aroma.

SMAAK: bedrieglijk licht, gemiddeld vol, rokerig en kruidig.

leeftijd, bottelings, prijzen

Craigellachie 14 jaar 43%

Craigellachie 22 jaar gedistilleerd 1973

60,2% beperkte editie

United Distillers Rare Malts Selection

Dailuaine

SPEYSIDE

DAILUAINE DISTILLERY, CARRON, ABERLOUR, BANFFSHIRE AB38 7RE

TEL: +44 (0)1340 810361; FAX: +44 (0)1340 810510

ZOALS ZO VEEL stokerijen was Dailuaine oorspronkelijk een boerderij. Dailuaine betekent 'groene vallei' in het Gaelic. De in 1851 door William Mackenzie opgerichte distilleerderij ligt in een klein dal aan de Carron Burn. In 1863 kwam er dankzij de spoorlijn van Strathspey een verbinding met Carron, op de andere oever van de rivier de Spey. Na de dood van Mackenzie verhuurde zijn vrouw de distilleerderij aan James Fleming uit Aberlour; in 1879 werd haar zoon Thomas een partner in de zaak. Thomas Mackenzie bleef het bedrijf runnen tot aan zijn dood in 1915. Omdat hij geen erfgenamen had, werd het bedrijf verkocht aan de Distillers Company Ltd.

In 1917 verwoestte een brand een groot deel van Dailuaine, dat snel weer werd opgebouwd. In 1959-1960 vond een ingrijpende verbouwing plaats. Tot 1967 vervoerde men de gerst, kolen en whisky over het spoor van en naar Dailuaine. In 1967 sloeg dr. Beeching toe (zie blz. 244) en werd de spoorlijn in Spey Valley gesloten. De locomotief van de distilleerderij, Dailuaine No.1, is bewaard gebleven en rijdt nog steeds op de spoorlijn van Strathspey.

feiten

- 1851
- United Distillers
- Neil Gillies
- Ballieumullich Burn
- 3 wash, 3 spirit
- NB
- Geen bezoekers

leeftijd, bottelings, prijzen

Dailuaine 16 jaar

Dailuaine 22 jaar gedistilleerd 1973

60,92% beperkte editie

United Distillers Rare Malts Selection

proefrapport

LEEFTIJD: Dailuaine 22 jaar gedistilleerd 1973 60,92%

NEUS: een vol, rokerig aroma met een vleugje honing.

SMAAK: kruidig, met een zoete, lange, stimulerende afdronk.

Dallas Dhu

SPEYSIDE

DALLAS DHU DISTILLERY, FORRES, MORAYSHIRE IV37 0RR

TEL: +44 (0)1309 676548

DALLAS DHU werd in 1898 gebouwd door Wright & Greig, whiskyblenders uit Glasgow, in samenwerking met Alexander Edward. De architect was Charles Doig uit Elgin, de man die ook verantwoordelijk was voor veel distilleerderijen die in de gloriejaren van de malt whisky rond de eeuwwisseling als paddestoelen uit de grond schoten. Een jaar later moesten veel distilleerderijen echter hun deuren sluiten, maar met Dallas Dhu bleef het goed gaan. In 1919 werd het bedrijf gekocht door J.R. O'Brien & Co. Ltd. uit Glasgow. In 1921 kwam het in handen van Benmore Distilleries Ltd. uit Glasgow, die het in 1929 weer doorverkochten aan de Distillers Company Ltd.

feiten

- 1898
- United Distillers
- Niet operationeel
- Altyre Burn
- NB
- NB
- April-sept. 09.30-16.30, zo. 14.00-18.30; okt.-maart 09.30-16.30, zo. 14.00-18.30; do.middag en vrijdag gesloten.

Dallas Dhu werd in 1983 door United Distillers gesloten en wordt nu door Historic Scotland als 'levend museum' geëxploiteerd. Voorraden van Dallas Dhu zijn door United Distillers gebotteld als onderdeel van hun Rare Malts Selection en zijn bij speciaalzaken te koop.

leeftijd, bottelings, prijzen

24 jaar 59,9% bij United Distillers

12 jaar 40% bij Gordon & MacPhail

proefrapport

LEEFTIJD: 12 jaar 40%

NEUS: warm, met sherry en turf.

SMAAK: ronde malt met rooksmaak en warme, aan eikenhout herinnerende afdronk.

The Dalmore

HIGHLAND

DALMORE DISTILLERY, ALNESS, ROSS-SHIRE IV17 0UT
TEL: +44 (0)1349 882362; FAX: +44 (0)1349 883655

THE DALMORE betekent 'de grote weide' en dankt zijn naam aan de uitgestrekte graslanden van het Black Isle, dat tegenover de distilleerderij ligt in de Firth of Cromarty. De weg naar de Dalmore-distilleerderij is smal en voert vanaf een dichtbegroeide heuvel naar de gebouwen die uitkijken over de Firth. De wadden zijn een paradijs voor vogelaars, want er komen regelmatig waadvogels en wilde zwanen. De distilleerderij werd in 1839 bij de Ardross-boerderij gebouwd door Alexander Matheson, een lid van de handelsmaatschappij Jardine Matheson in Hongkong. Hij koos Ardross omdat de boerderij naast de rivier de Alness lag en omringd werd door gerstvelden. De heuvels achter de distilleerderij zijn begroeid met bos.

Volgens de archieven was ene Margaret Sutherland in 1850 'soms stookster'. In 1886 kocht de familie Mackenzie de distilleerderij en in 1960 bundelden

feiten

- 1839
- J.B.B. (Greater Europe) Plc.
- Steve Tulevicz
- Rivier de Alness
- 4 wash, 4 spirit
- Combinatie van oloroso sherry en Amerikaanse witte eik
- Op afspraak om 11.00 of 14.00 op ma., di., do. van begin sept.-half juni; tel: 01349 882362

zij hun krachten met Whyte & Mackay Ltd., zodat Dalmore-Whyte & Mackay Ltd. ontstond. Tijdens de Eerste Wereldoorlog lag de productie stil. De Amerikaanse marine, aangetrokken door de diepe wateren van de Firth of Cromarty, maakte in de distilleerderij mijnen.

In 1956 stapte Dalmore over op mechanisch mouten en in 1966 werd het aantal stookketels verdubbeld van vier naar acht.

Dalmore-whisky rijpt in een combinatie van Amerikaanse witte eikenhouten vaten en oloroso sherryvaten. Omdat het klimaat hier iets kouder is, verloopt de rijping wat langzamer. In de smaak van het eindproduct is de invloed van het zachte water, de iets turfachtige gemoute gerst en de zeewind te herkennen.

proefrapport

LEEFTIJD: 12 jaar 40%

NEUS: een vol, fruitig aroma met een vleugje zoete sherry.

SMAAK: goede, volle malt met boventonen van honing en kruiden; een droge afdronk.

leeftijd, bottelings, prijzen

The Dalmore 12 jaar 40%

Speciale bottelings op 18, 21 en 30 jaar

Stillman's Dram exclusieve serie 23, 27 en 30 jaar

Speciale botteling van maximaal 300 flessen op 50 jaar

Dalwhinnie

HIGHLAND

DALWHINNIE DISTILLERY, DALWHINNIE, INVERNESS-SHIRE PH19 1AB
TEL: +44 (0)1528 522240

DALWHINNIE SINGLE MALT behoort tot de Classic Malt-serie van United Distillers. Dalwhinnie begon in 1898 als de Strathspey Distillery en bevond zich op een populaire ontmoetingsplaats voor veehandelaren uit het noorden en westen. Dalwhinnie is dan ook Gaelic voor 'ontmoetingsplaats'. De distilleerderij ligt vlak bij Lochan an Doire-uaine, een bron van heel zuiver water dat via turfrijke grond uitkomt in de Alt an t-Sluie Burn. De eerste eigenaren hadden niet veel succes en verkochten het bedrijf aan de heer Blyth, die ook een distilleerderij in Leith had en Dalwhinnie aan zijn zoon gaf. In 1905 werd de onderneming voor $ 2000 verkocht aan Cook & Bernheimer uit New York. Sir James Calder nam de distilleerderij in 1920 over, gevolgd door de Distillers Company Ltd. in 1926. Na een brand in 1934 werd het bedrijf gesloten. Het ging pas na de Tweede Wereldoorlog weer open.

In de distilleerderij zit ook een meteorologisch instituut; de directeur leest dagelijks de gegevens af.

feiten

- 1898
- United Distillers
- Robert Christine
- Allt an t-Sluie Burn
- 1 wash, 1 spirit
- NB
- Pasen-okt. ma.-vrij. 09.30-16.30 Voor andere tijden bellen voor afspraak: 01528 522268

leeftijd, bottelings, prijzen

Dalwhinnie 15 jaar 43%

proefrapport

LEEFTIJD: 15 jaar 43%

NEUS: droog, aromatisch, zomers.

SMAAK: een prachtige malt met vleugjes honing en een weelderige, zoete afdronk.

Deanston

HIGHLAND

DEANSTON DISTILLERY, DEANSTON, BIJ DOUNE,
PERTHSHIRE FK16 6AG
TEL: +44 (0)1786 841422; FAX: +44 (0)1786 841439

DE DEANSTON-DISTILLEERDERIJ bevindt zich in een oude katoenfabriek die is ontworpen door uitvinder Richard Arkwright. Katoenfabrieken en distilleerderijen hebben allebei zuiver water nodig. Het gebouw staat aan de oever van de rivier de Teith, die vanuit de Trossachs, een vallei in Midden-Schotland, naar beneden stroomt en beroemd is om zijn zalm en zuivere water. De katoenfabriek werd vroeger aangedreven door water, maar de distilleerderij heeft een eigen elektriciteitscentrale. Het hoofdgebouw en de opslagplaatsen dateren van 1785. Het gebouw werd in 1966 in gebruik genomen als distilleerderij en in 1990 gekocht door Burn Stewart Distillers.

feiten

- 1966
- Burn Stewart Distillers Plc.
- Ian Macmillan
- Rivier de Teith
- 2 wash, 2 spirit
- Hergebruik en sherry
- Geen bezoekers

leeftijd, bottelings, prijzen

Deanston 12, 17 en 25 jaar

Deanston is een zachte, lichtgouden malt. Bij de 12 jaar oude krijgt u een geschiedenis van de Schotse onafhankelijkheidsoorlogen. De Deanston 25 jaar wordt verkocht in een opvallende ovale fles, waarvan er maar 2000 per jaar worden geproduceerd.

proefrapport

LEEFTIJD: 12 jaar 40%
NEUS: een echt graanaroma.
SMAAK: eerst valt de moutsmaak op, daarna spelen citrus en honing een rol.

LEEFTIJD: 17 jaar 40%
NEUS: eerst droog en iets turfachtig, met warmere aroma's van sherry.
SMAAK: een rijke malt met sherryondertonen en een turfachtige, droge afdronk.

LEEFTIJD: 25 jaar 40%
NEUS: de langere rijping geeft een vollere, zoetere malt met een rijk aroma.
SMAAK: de tannine uit het eikenhout blijft in de mond, terwijl de totaalsmaak vol en romig is met een rokerige afdronk.

SPIRIT VAT
CONTENT 33050 LTRS
DEANSTON DISTIL
1991
120
DEANSTON DISTILL
1991
122
DOUNE

Drumguish

HIGHLAND

DRUMGUISH DISTILLERY, GLEN YROMIE, KINGUSSIE,
INVERNESS-SHIRE PH21 1NS
TEL: +44 (0)1540 661060; FAX: +44 (0)1540 661959

HET VERHAAL van Drumguish is eigenlijk het verhaal van één man. De familie Christie begon in 1962 met de bouw van Drumguish, vlak naast de in 1911 gesloten oorspronkelijke distilleerderij. Veel van het werk werd door George Christie persoonlijk uitgevoerd. In 1987 was het bedrijf klaar. De nieuwe distilleerderij produceerde in december 1990 haar eerste alcohol. Het gebouw is met de hand gemetseld en heeft een oud, maar werkend waterrad.

feiten

- 1990
- Speyside Distillery Co. Ltd.
- Richard Beattie
- Rivier de Tromie
- 1 wash, 1 spirit
- NB
- Geen bezoekers

proefrapport

LEEFTIJD: zonder leeftijd 40%
NEUS: een licht aroma met vleugjes honing en fruit.
SMAAK: zacht op het gehemelte met een beetje honing en een lange, soepele afdronk.

leeftijd, bottelings, prijzen

Zonder leeftijd 40%

Toekomstige bottelings naar gelang ze beschikbaar komen

Speciale kerstbotteling van 1090 flessen van eerste productie na drie jaar rijpen

Dufftown

SPEYSIDE

DUFFTOWN DISTILLERY, DUFFTOWN, KEITH, BANFFSHIRE AB55 4BR
TEL: +44 (0)1340 820224; FAX: +44 (0)1340 820060

DE DUFFTOUWN-GLENLIVIT Distillery Co. werd opgericht in 1896; de distilleerderij werd gebouwd in een oude graanmolen. Het oorspronkelijke waterrad is er nog steeds. In 1897 werd het bedrijf overgenomen door P. Mackenzie & Co., ook eigenaar van de Blair Athol-distilleerderij. In 1933 kwam het in handen van Arthur Bell & Sons. Het aantal stookketels ging in 1967 van twee naar vier en in 1979 naar 6.

Op het etiket van een fles Dufftown staat een ijsvogel, een plaatselijk veel voorkomende vogel met schitterende kleuren die regelmatig over de rivier de Dullan vliegt, vlak naast de distilleerderij.

feiten

- 1896
- United Distillers
- Steve McGingle
- Jock's Well
- 3 wash, 3 spirit
- NB
- Geen bezoekers

leeftijd, bottelings, prijzen

Dufftown 15 jaar 43%

proefrapport

LEEFTIJD: 15 jaar 43%

NEUS: warm, geurig.

SMAAK: soepel, iets zoet, met een vleugje fruit.

Een heerlijke lichte malt.

HIGHLAND

SINGLE MALT *SCOTCH WHISKY*

DUFFTOWN

distillery was established near *Dufftown* at the end of the 19th The *bright flash* of the KINGFISHER can often be seen over the *DULLAN RIVER*, which flows past the *old stone buildings* of the *distillery* on its way *north* to the *SPEY*. This *single HIGHLAND MALT WHISKY* is typically *SPEYSIDE* in character with a *delicate, fragrant, almost flowery* aroma and taste which *lingers* on the *palate*.

AGED 15 YEARS

43% vol Distilled & Bottled in *SCOTLAND*. DUFFTOWN DISTILLERY, Dufftown, Keith, Banffshire, *Scotland* 70 cl

The Edradour

HIGHLAND

Edradour Distillery, Pitlochry, Perthshire PH16 5JP
Tel: +44 (0)1796 473524; fax: +44 (0)1796 472002

EDRADOUR IS de kleinste distilleerderij van Schotland. In 1825 werd ze opgericht op een stuk land dat van de hertog van Atholl werd gepacht, en eigenlijk is ze sindsdien onveranderd. Een mooi voorbeeld van een actieve distilleerderij uit het Victoriaanse tijdperk.

In 1886 werd het bedrijf verkocht aan William Whiteley & Co. Ltd., een dochteronderneming van J.G. Turney & Sons uit Amerika. Edradour is nu in handen van Campbell Distillers, een onderdeel van de Pernod-Ricard-groep.

The Edradour is een gouden, honingkleurige malt.

feiten

- 1825
- Campbell Distillers Ltd.
- John Reid
- Bronnen op Mhoulin Moor
- 1 wash, 1 spirit
- NB
- Ma.-za. 10.30-16.00, 16.30-17.00 en zo. 12.00-17.00

leeftijd, bottelings, prijzen

The Edradour 10 jaar 40% en 43% export

proefrapport

LEEFTIJD: 10 jaar 40%

NEUS: verfijnd, zoet, vleugje turf.

SMAAK: droog, iets zoet, met een nootachtige, soepele afdronk. Een malt voor elke gelegenheid.

Glenallachie

SPEYSIDE

GLENALLACHIE DISTILLERY, ABERLOUR, BANFFSHIRE AB38 9LR

TEL: +44 (0)1340 871315; FAX: +44 (0)1340 871711

DE GLENALLACHIE-DISTILLEERDERIJ is in 1967 door W. Delme Evans gebouwd in opdracht van Mackinlay McPherson Ltd., onderdeel van Scottish & Newcastle Breweries Ltd. Het gebouw ligt aan de voet van de Ben Rinnes. In 1985 kocht Invergordon Distillers het bedrijf en in 1989 ging het over naar Campbell Distillers. Alleen de voorraad van de oorspronkelijke eigenaren is nu te koop.

feiten

- 1967
- Campbell Distillers Ltd.
- Robert Hay
- Bronnen op Ben Rinnes
- 2 wash, 2 spirit
- NB
- Geen bezoekers

proefrapport

LEEFTIJD: 12 jaar 43%

NEUS: een licht aroma vol bloemen.

SMAAK: verfijnd op de tong, met een vleugje honing en fruit.

Een lange, zoete afdronk.

leeftijd, bottelings, prijzen

12 jaar – alleen via oorspronkelijke eigenaren

Glenburgie

SPEYSIDE

Glenburgie Distillery, bij Alves, Forres, Morayshire IV36 0QY

Tel: +44 (0)1343 850258; fax: +44 (0)1343 850480

GLENBURGIE WERD in 1810 opgericht als de Kilnflat Distillery en kreeg in 1871 de huidige naam. In 1925 runde Margaret Nicol de distilleerderij; ze wordt beschouwd als de allereerste vrouwelijke manager. In 1936 werd Glenburgie gekocht door Hiram Walker en nu hoort het bedrijf bij Allied Distillers. De distilleerderij bevindt zich op een prachtig landgoed aan de voet van de Mill Buie-heuvels boven het dorp Kinloss.

Glenburgie is een uitstekende malt die vooral wordt gebruikt in blends van Ballantine. De 18 jaar oude malts worden bijna alle geëxporteerd; Gordon & MacPhail verkoopt meerdere leeftijden.

feiten

- 1810
- Allied Distillers Ltd.
- Brian Thomas
- Plaatselijke bronnen
- 2 wash, 2 spirit
- Combinatie van ex-bourbon en soms sherry
- Geen bezoekers

proefrapport

LEEFTIJD: 8 jaar 40%

NEUS: geur van kruiden en fruit.

SMAAK: eerst sterk, met een warme, kruidige afdronk en een lange nasmaak.

Glencadam

HIGHLAND

THE GLENCADAM DISTILLERY CO. LTD., BRECHIN, ANGUS DD9 6AY
TEL: +44 (0)1356 622217; FAX: +44 (0)1356 624926

IN 1825 besloot George Cooper een vergunning aan te vragen voor zijn whiskystokerij en daarmee was Glencadam geboren. Volgens de geschiedenis van Brechin waren er in 1838 twee distilleerderijen, twee brouwerijen en 47 panden met een vergunning. Glencadam is de enige die nu nog bestaat.

In 1891 kocht Gilmour Thomson & Co. het bedrijf om een constante aanvoer van uitstekende malts voor hun blends te garanderen. Omdat de prins van Wales in deze periode een groot liefhebber was van Gilmour Thomson's Royal Blend Scots Whisky, werden het koninklijke wapen en een hertenbok als handelsmerk gebruikt.

feiten

- 1825
- Allied Distillers Ltd.
- Calcott Harper
- Loch Lee
- 1 wash, 1 spirit
- Spaanse eik
- Ma.-do. 10.00-16.00

proefrapport

LEEFTIJD: 1974 40%

NEUS: een warm, zoet aroma met een vleugje kaneel.

SMAAK: een volle malt met een vleugje gestoofde appeltjes en een warme afdronk.

Glen Deveron

HIGHLAND

MACDUFF DISTILLERY, BANFF, BANFFSHIRE AB4 3JT

TEL: +44 (0)1261 812612; FAX: +44 (0)1261 818083

HET IS WAT verwarrend, maar Macduff is de distilleerderij waar Glen Deveron single malt whisky wordt geproduceerd, dus als u ergens een fles Glen Deveron koopt, vermeldt het etiket dat u een Macduff single malt in handen hebt. De distilleerderij werd in 1962 opgericht aan de oever van de rivier de Deveron door een consortium van zakenlieden en handelde onder de naam Glen Deveron. Nu hoort het bedrijf bij Bacardi Ltd. Glen Deveron is een lichtgouden single malt.

feiten

- 1962
- Bacardi Ltd.
- Michael Roy
- Plaatselijke bron
- 2 wash, 3 spirit
- NB
- Geen bezoekers

proefrapport

LEEFTIJD: 12 jaar 40%

NEUS: verfijnd, fris.

SMAAK: een middelzoete malt met een lange, frisse afdronk.

The Glendronach

SPEYSIDE

GLENDRONACH DISTILLERY, FORGUE, HUNTLY,
ABERDEENSHIRE AB54 6DA
TEL: +44 (0)1466 730202; FAX: +44 (0)1466 730313

ER WERD BIJ The Glendronach jarenlang illegaal gestookt, en omdat het bedrijf erg afgelegen lag, had men weinig last van *excisemen*. In 1826 waren James Allardes en zijn medewerkers het tweede bedrijf dat een vergunning aanvroeg om legaal whisky te produceren. Alle vaten op Glendronach worden nog steeds gemerkt met de eerste twee letters van Allardes' naam: AL. In 1960 werd het bedrijf overgenomen door William Teacher & Sons Ltd. en sindsdien wordt een groot deel van de Glendronach-malt verwerkt in Teacher's Highland Cream blended whisky.

feiten

- 1826
- Allied Distillers Ltd.
- Frank Massie
- Plaatselijke bronnen
- 2 wash, 2 spirit
- Gerijpt eiken en sherry
- Rondleidingen om 10.00 en 14.00; winkel open tijdens kantooruren

The Glendronach ligt net ten oosten van de Highlands, op het randje van de grote whiskystreek Speyside. Naast Speyside-trekjes heeft deze malt ook Highland-trekjes. Daarom wordt hij door sommigen als een Highland beschouwd.

Wie naar Huntly reist, vanaf Aberdeen de dichtstbijzijnde stad, komt door een prachtig landschap, met bergen aan de horizon. Het gebied is beslist een bezoek waard, en niet alleen vanwege de distilleerderij, want de mooiste huizen en kastelen van Schotland zijn hier te zien. Bezoekers van Glendronach worden beloond met een uitzicht dat sinds de oprichting niet is veranderd: boerenland, Highland-vee dat langs de weg naar de distilleerderij loopt te grazen, roeken in de bomen en de prachtige, ommuurde moestuin van de directeur. Momenteel

ligt de distilleerderij in de mottenballen, maar er zijn voldoende Glendronach-voorraden te koop.

The Glendronach heeft een diepe amberkleur en dankt zijn karakter aan een combinatie van zelfgemoute gerst, turf en water uit de Highlands.

leeftijd, bottelings, prijzen

The Glendronach 12 jaar 40% Traditional en 18 jaar Traditional

Glendronach 25 jaar 1968 gerijpt in sherryvaten

1993 tijdschrift *Decanter*, sterk aanbevolen

1996 IWSC zilveren medaille

proefrapport

LEEFTIJD: 12 jaar 40% Traditional

NEUS: zoet, soepel aroma.

SMAAK: lange, zoete smaak met rokerige boventonen en een prettige afdronk.

Glendullan

SPEYSIDE

GLENDULLAN DISTILLERY, DUFFTOWN, KEITH, BANFFSHIRE AB55 4DJ
TEL: +44 (0)1340 820250; FAX: +44 (0)1340 820064

GLENDULLAN WAS de laatste distilleerderij die in de 19e eeuw in Dufftown werd gebouwd, namelijk in 1897. Het gebouw deelde samen met de Mortlach-distilleerderij een eigen zijspoor van de Great North of Scotland-spoorweg. Oorspronkelijk was het bedrijf van William Williams & Sons Ltd., blenders uit Aberdeen. In 1919 kreeg het de naam Macdonald, Greenlees & Williams toen Greenlees Brothers Ltd. het overnam. In 1926 werd het verkocht aan de Distillers Company Ltd. In 1962 vond een grote verbouwing plaats en in 1972 werd er een nieuwe distilleerderij met zes stookketels naast gebouwd. De oude distilleerderij werd in 1985 gesloten en wordt nu gebruikt als onderhoudswerkplaats.

Glendullan staat nog steeds op naam van Macdonald, Greenlees Ltd., een bekend whisky-exportbedrijf. Hun beroemdste merk is Old Parr blended whisky.

feiten

- 1897
- United Distillers
- Steve McGingle
- Bronnen in de Conval-heuvels
- 3 wash, 3 spirit
- NB
- Geen bezoekers

RARE MALTS
SELECTION
Each individual vintage has been specially selected from Scotland's finest single malt stocks of rare or now silent distilleries. The limited bottlings of these scarce and unique whiskies are at natural cask strength for the enjoyment of the true connoisseur.
NATURAL
CASK STRENGTH
SINGLE MALT
SCOTCH WHISKY
AGED 23 YEARS
DISTILLED 1972
GLENDULLAN
DISTILLERY
ESTABLISHED 1897
DUFFTOWN, BANFFSHIRE
PRODUCED AND BOTTLED
IN SCOTLAND
LIMITED EDITION
BOTTLE

Estd. 1897
Glendullan
PURE Highland MALT
GLENDULLAN
AGED 8 YEARS
DISTILLERY
SCOTCH WHISKY
Distilled Slowly
and Matured for 8 long years in Oak Casks
for the Unique Flavour that is Glendullan
40%vol
DISTILLED & BOTTLED BY
GLENDULLAN DISTILLERY, DUFFTOWN, BANFFSHIRE, SCOTLAND.
70cl e

RARE MALTS
SELECTION
NATURAL
CASK STRENGTH
SINGLE MALT
SCOTCH WHISKY
AGED 22 YEARS
DISTILLED 1972
GLENDULLAN
DISTILLERY
ESTABLISHED 1897
DUFFTOWN BANFFSHIRE
62.6%vol 70cl
PRODUCE OF SCOTLAND
LIMITED EDITION
BOTTLE № 3611

leeftijd, bottelings, prijzen

Glendullan 12 jaar 43%

Glendullan 22 jaar gedistilleerd 1972
62,6% beperkte editie
United Distillers Rare Malts Selection

proefrapport

LEEFTIJD: 12 jaar 43%

NEUS: verfijnd, vleugje amandel.

SMAAK: een warme, honingkleurige malt met een lange afdronk.

Glen Elgin

SPEYSIDE

GLEN ELGIN DISTILLERY, LONGMOR, ELGIN, MORAYSHIRE IV30 3SL

TEL: +44 (0)1343 860212; FAX: +44 (0)1343 862077

GLEN ELGIN is omstreeks 1890 ontworpen door Charles Doig, de glorietijd van de whisky. William Simpson, de toenmalige directeur van Glenfarclas, was een van de oorspronkelijke eigenaren. Op 1 mei 1900 werd begonnen met de productie bij Glen Elgin. In 1901 werd het bedrijf verkocht aan Glen Elgin-Glenlivet Distillery Co. Ltd., waarna de productie een tijdje stil kwam te liggen. In 1906 kwam de distilleerderij in handen van J.J. Blanche & Co. Ltd., wijnboeren en -handelaren te Glasgow, maar de productie is nooit constant geworden. In 1930 is Glen Elgin overgenomen door de Distillers Company Ltd.

feiten

- 1898-1900
- United Distillers
- John Miller
- Plaatselijke bronnen
- 4 wash, 3 spirit
- NB
- Geen bezoekers

proefrapport

LEEFTIJD: zonder leeftijd 43%

NEUS: rokerig aroma met een vleugje honing.

SMAAK: gemiddeld volle malt met turfachtige smaak, vleugje zoetigheid en lange afdronk.

Glenfarclas

SPEYSIDE

J & G Grant, Glenfarclas Distillery, Ballindalloch,
Banffshire AB37 9BD
tel: +44 (0)1807 500245; fax: +44 (0)1807 500234

GLENFARCLAS KREEG in 1836 een vergunning, vlak voordat koningin Victoria de troon besteeg. De distilleerderij werd gebouwd bij de Rechlerich-boerderij aan de voet van de Ben Rinnes in Speyside. In 1865 kocht John Grant de distilleerderij. Ze werd al snel een favoriete pleisterplaats voor veedrijvers op weg naar de markt. De dieren moesten worden gelaafd – en de mannen ook.

feiten

- 1836
- J. en G. Grant
- J. Miller
- Bron op Ben Rinnes
- 3 wash, 3 spirit
- Spaanse eik
- Hele jaar ma.-vrij. 09.00-16.30; juni-sept. za. 10.00-16.00

Glenfarclas is nog steeds in handen van dezelfde familie. Veel van de oorspronkelijke gebouwen zijn gemoderniseerd en het aantal ketels werd in 1960 verhoogd van twee naar vier en in 1976 naar zes. Hier vindt u de grootste ketels en *mash tun* in Speyside.

Het bezoekerscentrum bij Glenfarclas is afgetimmerd met originele eikenhouten schroten van een oud passagiersschip, de Australische *SS Empress.* De single malts van Glenfarclas zijn verkrijgbaar in allerlei leeftijden van 10-30 jaar. Qua kleur variëren ze van lichtkoper tot gloeiend amber; vaak staan ze hoog aangeschreven bij echte maltkenners.

leeftijd, bottelings, prijzen

Glenfarclas wordt door de distilleerderij gebotteld op 10, 12, 15, 17, 21, 25 en 30 jaar met 40% en Glenfarclas 105 op cask strenght 60%

1996 winnaar van de Wine & Spirit International Trophy, beste Highland Single Malt Whisky – Glenfarclas 30 jaar

proefrapport

LEEFTIJD: 105 60%

Op deze whisky staat geen leeftijd, maar bij Glenfarclas wordt niets gebotteld voordat er 10 jaar om zijn. Dit is de enige goed verkrijgbare malt van deze sterkte; hij heeft een warme, gouden kleur.

NEUS: een zeer doordringende malt met een rond, rijp aroma.

SMAAK: een volle, zoete smaak met een vleugje karamel en een heerlijke nasmaak.

LEEFTIJD: 25 jaar 43%

NEUS: een warm aroma vol karakter en belofte.

SMAAK: het is direct duidelijk dat dit een rijpe single malt is – talloze smaken ontwikkelen zich in de mond; een lange, iets droge afdronk met ondertonen van eikenhout. Een fantastische malt.

Glenfiddich

SPEYSIDE

William Grant & Sons Ltd., The Glenfiddich Distillery,
Dufftown, Keith, Banffshire AB55 4DH
Tel: +44 (0)1340 820373; fax: +44 (0)1340 820805

William Grant, oprichter van William Grant & Sons, was vastbesloten om "de beste drank van het dal te maken". Hij bouwde Glenfiddich in 1886 met zijn zeven zonen en twee dochters, waarna de eerste malt op eerste kerstdag 1887 uit de ketels drupte. De distilleerderij is nog steeds eigendom van Williams afstammelingen, die zich nog steeds inzetten om de allerbeste whisky te produceren. De whisky wordt op traditionele wijze bereid. Glenfiddich heeft nog steeds zijn eigen kuiperij, waar negen mensen vaten maken en repareren. Het modernste deel van het bedrijf is de geautomatiseerde bottelarij, waar jaarlijks zo'n 850.000 kistjes Glenfiddich worden gemaakt.

feiten

- 1886
- William Grant & Sons Ltd.
- W. White
- Robbie Dubh
- 5 wash, 8 spirit – ongewoon klein
- Allemaal eiken – Amerikaanse bourbon of Spaanse sherry
- Hele jaar ma.-vrij. (behalve kerst) 09.30-16.30; Pasen-half okt. za. 09.30-16.30 zo. 12.00-16.30; groepen vanaf 12 pers. van tevoren bellen

De malt van Glenfiddich wordt zonder leeftijd geproduceerd, maar is minstens 8 jaar oud. Het consistente

Glenfiddich-karakter wordt bereikt door vaten te vermengen – whiskybereiders spreken letterlijk van 'huwen', want de drank blijft 3-6 maanden in grote houten *marrying tuns.*

In 1963 zette Glenfiddich de ongebruikelijke stap om hun whisky als single malt op de markt te brengen. Andere distilleerders stonden hier in eerste instantie sceptisch tegenover en bleven hun malt aan blenders verkopen, maar al snel bleek er een markt te zijn voor single malts.

Glenfiddich Special Old Reserve single malt 40% wordt gebotteld in een driehoekige groene fles en heeft een lichtgouden kleur.

proefrapport

LEEFTIJD: zonder leeftijd 40%

NEUS: verfijnd, fris aroma met een vleugje turf.

SMAAK: eerst licht en iets droog, dan ontwikkelt zich een vollere smaak met subtiele zoete boventonen. Een goede malt voor alle gelegenheden.

leeftijd, bottelings, prijzen

Glenfiddich Special Old Reserve 40%
wordt zonder leeftijd gebotteld
(minimaal 8 jaar)
Glenfiddich Special Reserve ('gehuwde'
vaten van 8-12 jaar)
Glenfiddich Excellence (18 jaar)
Glenfiddich Cask Strength (15 jaar)
1996 MPMA eerste prijs voor
The Glenfiddich Miniature Clan Tins

Glen Garioch

HIGHLAND

OLD MELDRUM, INVERURIE, ABERDEENSHIRE AB51 0ES

TEL: +44 (0)1651 872706; FAX: +44 (0)1651 872578

VOLGENS DE archieven werd Glen Garioch in 1798 opgericht door Thomas Simpson. Kenners zeggen echter dat Simpson al in 1785 drank stookte, maar of hij dat in Glen Garioch deed, is niet duidelijk. De Garioch (Geerie)-vallei is heel vruchtbaar en de ideale plek voor een distilleerderij, met een rijke voorraad gerst. Het bedrijf ging van hand tot hand en sloot in 1968. In 1970 werd het gekocht door Stanley P. Morrison (Agencies) Ltd., waarna het aantal stookketels werd verhoogd.

feiten

- 1798
- Morrison-Bowmore Distillers Ltd.
- Ian Fyfe
- Bronnen op Percock Hill
- 2 wash, 2 spirit
- Ex-bourbon en sherry
- Gebottelde sterkte afhankelijk van leeftijd
- Geen bezoekers

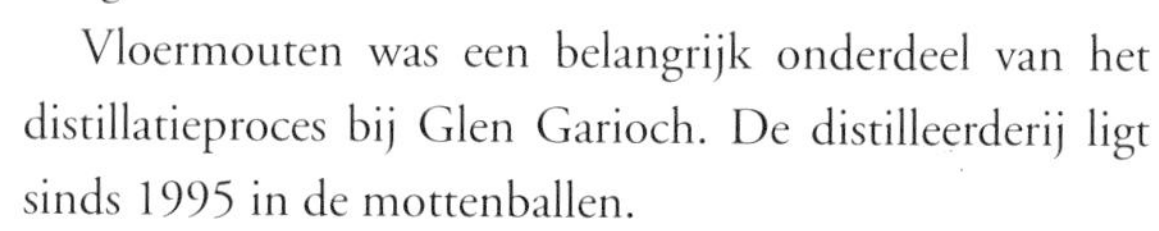

Vloermouten was een belangrijk onderdeel van het distillatieproces bij Glen Garioch. De distilleerderij ligt sinds 1995 in de mottenballen.

Glen Garioch is verkrijgbaar in verschillende leeftijden en heeft een lichtgouden tot goudkoperen kleur.

leeftijd, bottelings, prijzen

Glen Garioch wordt gebotteld zonder leeftijd en op 15 en 21 jaar

proefrapport

LEEFTIJD: zonder leeftijd 40%

NEUS: licht vleugje turf en sinaasappelbloesem.

SMAAK: de eerste smaken in de mond zijn turfachtig, daarna boventonen van fruit en honing; een lange, frisse afdronk.

LEEFTIJD: 15 jaar 43%

NEUS: warmer, fruitiger aroma met een vleugje eik.

SMAAK: warme, gloedvolle whisky met citrus en rook en een lange, zachte afdronk.

LEEFTIJD: 21 jaar 43%

NEUS: honing en turf met een vleugje chocola.

SMAAK: vol, zoeter, met een vleugje rook en een warme, zachte afdronk. Een goede malt voor na het eten.

Glengoyne

HIGHLAND

GLENGOYNE DISTILLERY, DUMGOYNE, STIRLINGSHIRE G63 9LB
TEL: +44 (0)1360 550229; FAX: +44 (0)1360 550094

IN 1833 heette deze distilleerderij nog Burnfoot en was George Connell de baas. Van 1851-1867 runde John McLelland het bedrijf, gevolgd door Archibald C. McLellan, die het bedrijf in 1876 verkocht aan Lang Brothers Ltd. De naam veranderde in Glen Guin. Pas in 1905 kreeg de distilleerderij haar huidige naam. Sinds 1965 maakt Glengoyne deel uit van Robertson & Baxter; in 1966 werd een verbouwing uitgevoerd en werd er een nieuwe ketel bijgeplaatst. Glengoyne ligt langs de West Highland Way en is daardoor een mooie pleisterplaats voor wandelaars die van Fort William naar Glasgow lopen.

feiten

- 1833
- Lang Brothers Ltd.
- Ian Taylor
- Beekje in Campsie Hills
- 1 wash, 2 spirit
- Ex-sherry, hergebruik
- Ma.-za. 10.00-16.00
  zo. 12.00-16.00
  Aanbevolen door de Scottish Tourist Board

Glengoyne is een lichte malt met de kleur van witte wijn; de gerst wordt niet boven een turfvuur gedroogd.

leeftijd, bottelings, prijzen
Glengoyne 10, 12 en 17 jaar 40%
Speciale bottelings
12 jaar 43% export

proefrapport

LEEFTIJD: 10 jaar 40%
NEUS: helder, zonnig bloem-aroma.
SMAAK: gemiddeld volle malt met een vleugje honing en fruit. Een goede all-round malt whisky.

Glen Grant

SPEYSIDE

GLEN GRANT DISTILLERY, ROTHES, MORAYSHIRE AB38 7BS
TEL: +44 (0)1542 783318; FAX: +44 (0)1542 783306

GLEN GRANT is in 1840 opgericht door John en James Grant. Na de dood van John in 1864 zette James het bedrijf voort tot hij in 1872 stierf. Zijn zoon, die ook James heette en militair was, nam de zaak over; hij was een kleurrijke figuur die de hele wereld had afgereisd. Majoor Grant bleef bijna 60 jaar directeur van Glen Grant. In die tijd legde hij een schitterende tuin aan met een waterval, vijvers, rododendronwallen en een uitgestrekte boomgaard. Zijn kleinzoon, Douglas Mackessack, erfde het bedrijf in 1931 en maakte het internationaal bekend. In 1961 nam de Italiaan Armando Giovinetti contact op met Douglas en nam 50 kistjes Glen Grant 5 jaar mee terug naar Milaan. Nu is Glen Grant whisky nummer 1 in Italië.

feiten

- 1840
- Seagram Co. Ltd.
- Willie Mearns
- De Caperdonich Well
- 4 wash, 4 spirit
- NB
- Half maart-eind okt. ma.-za. 10.00-16.00 en zo. 11.30-16.00; 's zomers juni-eind sept. ma.-za. 10.00-17.00, zo. 11.30-17.00

leeftijd, bottelings, prijzen

Glen Grant wordt in Groot-Brittannië verkocht zonder leeftijd op 40%
Exportmarkt 5 jaar

proefrapport

LEEFTIJD: zonder leeftijd 40%

NEUS: droog, iets wrang.

SMAAK: lichte, droge malt met een vleugje fruit in de afdronk.

Glen Keith

SPEYSIDE

GLEN KEITH DISTILLERY, STATION ROAD, KEITH,
BANFFSHIRE AB55 3BU
TEL: +44 (0)1542 783042; FAX: +44 (0)1542 783056

GLEN KEITH is in 1958 gebouwd op de plaats van een graanmolen, vlak bij de ruïne van Milton Castle en een prachtige waterval, de Linn. Voor de bouw zijn plaatselijke stenen gebruikt. Glen Keith had oorspronkelijk drie ketels voor een drievoudige distillatie. In 1970 werd hier de eerste gasketel in Schotland in gebruik genomen.

Glen Keith wordt verwerkt in fijne blends, waaronder Passport. Bezoekers aan het bedrijf kunnen een videoband bekijken met de titel 'Passport Experience', die het verhaal van deze blend vertelt. Glen Keith wordt door Seagrams op de markt gebracht als onderdeel van hun Heritage Selection.

feiten

- 1958
- Seagram Co. Ltd.
- Norman Green
- Bron op Balloch Hill
- 3 wash, 3 spirit
- NB
- Bellen voor een afspraak

proefrapport

LEEFTIJD: 1983 43%

NEUS: warm, geurig, met vleugjes eik en turf.

SMAAK: verfijnde malt met fruit en een vleugje karamel; een lange afdronk.

Glenkinchie

LOWLAND

GLENKINCHIE DISTILLERY, PENTCAITLAND, EAST LOTHIAN EH34 5ET

TEL: +44 (0)1875 340333; FAX: +44 (0)1875 340854

GLENKINCHIE WERD in 1837 opgericht door John en George Rate, die de distilleerderij van 1825-1833 onder de naam Milton runden. Vanaf 1853 lag de productie stil en werd het gebouw gebruikt als houtzagerij. In 1880 maakte een groep zakenlieden er weer een distilleerderij van en in 1890 ontstond The Glenkinchie Distillery Co. Ltd. De distilleerderij werd helemaal opnieuw opgebouwd en bleef operationeel tot 1914, toen ze onderdeel werd van Scottish Malt Distillers Ltd.

Na 1968 werd de gerst niet langer zelf gemout. Veel oude apparatuur werd vervangen en in de oude mouterij kwam een museum.

Glenkinchie wordt omringd door prachtige landerijen en is het hele jaar open voor bezoekers. De malt die er wordt geproduceerd, is licht van kleur.

feiten

- 1837
- United Distillers
- Brian Bisset
- Lammermuir Hills
- 1 wash, 1 spirit
- NB
- Ma.-vrij. 09.30-16.00 Museum of Malt Whisky Production

leeftijd, bottelings, prijzen

Glenkinchie 10 jaar 43% wordt gebotteld als onderdeel van de Classic Maltserie van United Distillers

proefrapport

LEEFTIJD: 10 jaar 43%

NEUS: sinaasappelbloesem en honing.

SMAAK: een soepele, lichte malt met een ronde smaak; een vleugje zoetigheid en rook en een lange afdronk.

The Glenlivet

SPEYSIDE

THE GLENLIVET DISTILLERY, BALLINDALLOCH,
BANFFSHIRE AB37 9DB
TEL: +44 (0)1542 783220

THE GLENLIVET was de eerste distilleerderij die een vergunning aanvroeg nadat in 1823 de belastingwet was ingevoerd, waardoor het economisch interessant werd om legaal te stoken. The Glenlivet werd in 1824 opgericht door George Smith bij Upper Drumin Farm. Zijn landheer, de hertog van Gordon, zag de komst van een distilleerderij als een bron van werkgelegenheid in de streek. In het begin had George het nogal moeilijk met zijn buren,

feiten

- 1824
- Seagram Co. Ltd.
- Jim Cryle
- Josie's Well
- 4 wash, 4 spirit
- NB
- Half maart-eind okt. ma.-za. 10.00-16.00; zo. 12.30-16.00; juli en aug. dagelijks tot 18.00 Entreeprijs

die illegaal stookten en zijn distilleerderij in brand probeerden te steken. Met een paar pistolen wist hij ze echter uit de buurt te houden. In het bezoekerscentrum van The Glenlivet liggen deze pistolen nog steeds te pronken. In 1858 kwam Georges broer John ook in de zaak en samen bouwden ze een nieuwe distilleerderij bij Minmore Farm. The Glenlivet bleef tot in 1975 in de familie Smith, toen eigenaar kapitein Bill Smith stierf. In 1977 kocht de Seagram Co. Ltd. het bedrijf.

Veel distilleerderijen gebruiken de benaming 'Glenlivet', maar deze is de enige die zichzelf 'The Glenlivet' mag noemen.

leeftijd, bottelings, prijzen

The Glenlivet 12, 18 en 21 jaar
In Groot-Brittannië zijn slechts 1000 flessen van 18 jaar verkrijgbaar
1995 IWSC Best Single Malt Scotch Whisky Trophy voor malts van meer dan 12 jaar – 18 jaar The Glenlivet

proefrapport

LEEFTIJD: 12 jaar 40%
NEUS: geurige malt met een vleugje fruit.
SMAAK: gemiddeld vol, met een zoete, iets sherry-achtige smaak en een lange afdronk.

LEEFTIJD: 18 jaar 43%
NEUS: een rijk aroma met karamel en turf.
SMAAK: een verrukkelijk rijke malt, iets droog, met fruit, turf en een kruidige, zoete afdronk. Een prima, zeldzame malt.

Glenlossie

SPEYSIDE

GLENLOSSIE DISTILLERY, ELGIN, MORAYSHIRE IV30 3SS
TEL: +44 (0)1343 860331; FAX: +44 (0)1343 860302

GLENLOSSIE LIGT vlak bij Elgin (een stad die in één adem wordt genoemd met whisky) en naast Mannochmore. De distilleerderij werd in 1876 opgericht door John Duff en John Hopkins. Hopkins hield het in 1888 voor gezien, waarna het bedrijf een nieuwe naam kreeg: Glenlossie-Glenlivet. In 1919 werd het overgenomen door Scottish Malt Distillers. In 1962 werd het aantal ketels verhoogd van vier naar zes. Bij de tweede distillatie wordt de drank gezuiverd tussen de serpentines en condensoren, wat deze lichte, frisse malt met een citroen-gouden kleur heel apart maakt.

feiten

- 1876
- United Distillers
- Harry Fox
- De Bardon Burn
- 3 wash, 3 spirit
- NB
- Geen bezoekers

leeftijd, bottelings, prijzen

Glenlossie 10 jaar 43%

proefrapport

LEEFTIJD: 10 jaar 43%

NEUS: een licht, fris aroma met een heerlijk vleugje honing en specerijen.

SMAAK: soepel, met honing, rook en een beetje eik.

SPEYSIDE
SINGLE MALT *SCOTCH WHISKY*

The three *spirit stills* at the

GLENLOSSIE

distillery have *purifiers* installed between the *lyne arm* and the *condenser*. This has a bearing on the *character* of the *single MALT SCOTCH WHISKY* produced which has a *fresh, grassy* aroma and a *smooth*, lingering flavour. Built in 1876 by *John Duff*, the *distillery* lies four miles *south* of ELGIN in *Morayshire*.

AGED 10 YEARS

43% vol — 70 cl

Glenmorangie

HIGHLAND

GLENMORANGIE DISTILLERY, TAIN, ROSS-SHIRE IV19 1PZ

TEL: +44 (0)1862 892043; FAX: +44 (0)1862 893862

DE DISTILLEERDERIJ in Tain kreeg in 1843 een vergunning op naam van William Mathieson; de eerste alcohol drupte in 1849 uit de ketels. Vroeger was hier de brouwerij van McKenzie & Gallie gevestigd. De eerste flessen Glenmorangie werden in 1880 in het buitenland verkocht; in de *Inverness Advertiser* staat: "Kort geleden kwamen wij onderweg naar Rome een vaatje whisky van Glenmorangie tegen, evenals diverse vaten die bestemd waren voor San Francisco." In 1887 veranderde de naam in de Glenmorangie Distillery Co. Ltd.; in 1920 werd het bedrijf gekocht door Macdonald and Muir. De distilleerderij werd in 1979 verbouwd en het aantal ketels werd verhoogd van twee naar vier.

In 1996 lanceerde Glenmorangie de nieuwe Wood Finish Range tijdens een speciale presentatie ter ere van

feiten

- 1843
- Glenmorangie Plc.
- Bill Lumsden
- Tarlogie Springs
- 4 wash, 4 spirit
- Oude madeira-, port- of sherry-vaten
- April-okt. ma.-vrij. 10.00-16.00; rondleidingen om 10.30 en 14.30. Nov.-maart ma.-vrij. 14.00-16.00; rondleidingen om 14.30, of van tevoren bellen voor een afspraak: 01862 892477 Entreeprijs

de 80e verjaardag van de voormalige Britse premier Sir Edward Heath.

De malts van Glenmorangie zijn beslist de moeite waard. Qua kleur lopen ze uiteen van honinggoud en amber tot een prachtige koperkleur met een roze-gouden gloed.

proefrapport

LEEFTIJD: Madeira Wood Finish, 12 jaar 43%
NEUS: fris, zoet, iets nootachtig met citrus.
SMAAK: kruidig, met vleugjes citrus en honing; droge afdronk.

LEEFTIJD: Port Wood Finish, 12 jaar 43%
NEUS: warm karamel, maar wel fris.
SMAAK: verrukkelijk vol en soepel in de mond, met vleugjes citrus en specerijen.

LEEFTIJD: Sherry Wood Finish, 12 jaar 43%
NEUS: sherry met mout en honing.
SMAAK: vol sherry en specerijen, lange afdronk vol smaken.

Glen Moray

SPEYSIDE

GLEN MORAY DISTILLERY, ELGIN, MORAYSHIRE IV30 1YE

TEL: +44 (0)1343 542577; FAX: +44 (0)1343 546195

GLEN MORAY ligt in een van de beste landbouwgebieden van Schotland. De distilleerderij begon als brouwerij en werd in 1897 omgebouwd door de Glen Moray Glenlivet Distillery Co. Ltd. Aan de plek waar Glen Moray staat, zit een spannend stukje Schotse geschiedenis vast: de oude weg naar Elgin loopt dwars door de distilleerderij naar Gallow Crook, een plaats waar tot eind 17e eeuw executies werden uitgevoerd. De distilleerderij ging in 1910 dicht en werd door haar huidige eigenaren, Macdonald and Muir Ltd., in 1923 weer geopend. Bij Glen Moray heerst een gevoel van tijdloosheid; de distilleerderij doet denken aan een Highland-boerderij, met gebouwen rondom een binnenplaats.

feiten

- 1897
- Glenmorangie Plc.
- Edwin Dodson
- Rivier de Lossie
- 2 wash, 2 spirit
- NB
- Bellen voor een afspraak

proefrapport

LEEFTIJD: Glen Moray 12 jaar 40%

NEUS: verfijnd, een vleugje zomer.

SMAAK: een gemiddeld volle malt met een vleugje turf en een warme, iets zoete afdronk. Geschikt voor na het eten.

leeftijd, bottelings, prijzen

Glen Moray 12 jaar 40% in speciale blauwe koker

Glen Moray 16 jaar in een blik met The Black Watch Highland Regiment erop

Glen Ord

HIGHLAND

GLEN ORD DISTILLERY, MUIR OF ORD, ROSS-SHIRE IV6 7UJ
TEL: +44 (0)1463 870421; FAX: +44 (0)1463 870101

DE ORD-DISTILLEERDERIJ werd in 1838 opgericht door Robert Johnstone en Donald McLennan. In het gebied waren nog negen andere kleine stokerijen, allemaal met een vergunning. In 1860 werd het bedrijf overgenomen door Alexander McLennan, die in 1871 failliet ging. Uiteindelijk kwam de distilleerderij terecht bij zijn weduwe, die hertrouwde met Alexander McKenzie. McKenzie zette het bedrijf voort tot het in 1887 werd gekocht door James Watson & Co., blenders uit Dundee. Glen Ord werd in 1925 onderdeel van de Distillers Company.

Tot 1961 werd er op traditionele wijze gemout, waarna een Saladin-systeem werd geïnstalleerd. De distilleerderij is in 1966 ingrijpend verbouwd.

feiten

- 1838
- United Distillers
- Kenny Gray
- Lochs Nan Eun en Nan Bonnach
- 3 wash, 3 spirit
- NB
- Ma.-vrij. 09.30-16.30

leeftijd, bottelings, prijzen

Glen Ord 12 jaar 40%
ASVA eervolle vermelding
IWSC beste single malt tot 15 jaar
Gouden medaille bij de Monde Selection

proefrapport

LEEFTIJD: 12 jaar 40%
NEUS: vol, warm, kruidig.
SMAAK: zeer smaakvol, met karamel, nootmuskaat en een lange, soepele afdronk. Geschikt voor cocktails.

Glenrothes

SPEYSIDE

GLENROTHES DISTILLERY, ROTHES, MORAYSHIRE, AB38 7AA
TEL: +44 (0)1340 872300; FAX: +44 (0)1340 872172

GLENROTHES WERD in 1878 door W. Grant & Co. naast de Burn of Rothes gebouwd, die van de Mannoch Hills stroomt. De productie startte op zondag 28 december 1879. In 1887 ging de distilleerderij samen met de Islay Distillery Company, de eigenaren van Bunnahabhain, en zo ontstond Highland Distilleries Co. Ltd. Het water is afkomstig van The Lady's Well. Hier zou de enige dochter van een 14e-eeuwse Earl of Rothes zijn vermoord door de 'wolf van Babenoch' toen ze probeerde het leven van haar geliefde te redden.

In 1896 werd de distilleerderij uitgebreid. In 1922 brak er brand uit in een opslagplaats en stroomde de whisky in de Burn of Rothes. Volgens de legende heeft de plaatselijke bevolking, evenals enkele koeien, bijzonder genoten van deze gratis drank. In 1963 ging het aantal ketels van vier naar zes en in 1980 naar tien.

De Glenrothes Vintage wordt op de markt gebracht door Berry Bros. & Rudd uit Londen, evenals hun eigen blend, Cutty Sark.

feiten

- 1878
- Highland Distilleries Co. Plc.
- A.B. Lawtie
- De Lady's Well
- 5 wash, 5 spirit
- Mix van hergebruik, sherry en ex-bourbon
- Alleen op uitnodiging

THE GLENROTHES
ESTD LIMITED RELEASE 1879
SINGLE SPEYSIDE MALT
Scotch Whisky

Glenrothes is een prima single malt en wordt al jaren door blenders gebruikt. De kleuren van de malts lopen uiteen van heel lichtgoud en honinggoud tot amber.

leeftijd, bottelings, prijzen

Berry Bros. heeft een mooi pakket samengesteld en verkoopt Glenrothes uit 1972, 1979, 1982 en 1984
De 1972 is een beperkte editie Sherry Cask Malt
De 1979 wordt alleen in Amerika verkocht
In 1997 komen er nieuwe jaren uit.
Zo zal de 1984 worden vervangen door de 1985 en de 1979 in Amerika door de 1982

proefrapport

LEEFTIJD: 1972 43%
NEUS: volle karamel met specerijen.
SMAAK: volle malt met een vleugje warme eik en honing. Een lange, rijke, zoete afdronk.

LEEFTIJD: 1979 43%
NEUS: warme karamel met vage ondertoon van chocola.
SMAAK: gemiddeld volle, smaakvolle malt met een vleugje toffee en sinaasappel en een lange afdronk met honing en citrus.

LEEFTIJD: 1982 43%
NEUS: warme karamel.
SMAAK: vol, met toffee en vanille, smaakvolle afdronk.

LEEFTIJD: 1984 43%
NEUS: fijne aroma's van sherry, vanille en mout.
SMAAK: soepel, gemiddeld vol, met smaken van tropisch fruit en mout en een lange, soepele afdronk. Een goede malt voor na het eten.

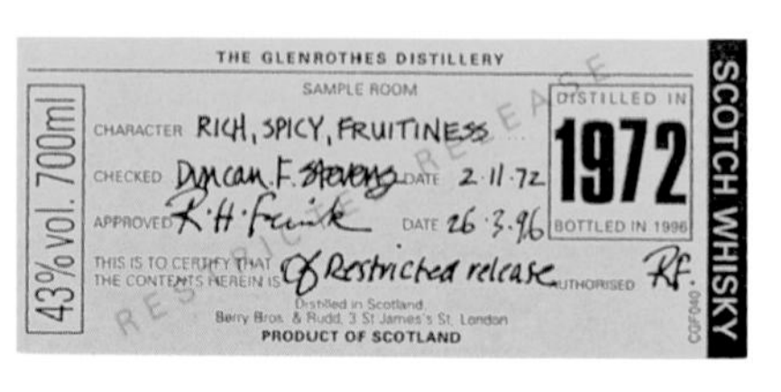

Glentauchers

SPEYSIDE

GLENTAUCHERS DISTILLERY, MULBEN, KEITH AB55 6YL

TEL: +44 (0)1542 860272; FAX: +44 (0)1542 860327

DE EERSTE steen van Glentauchers werd gelegd in mei 1897. Een jaar later startte de Glentauchers Distillery Co., een samenwerkingsverband van drie leden van W.P. Lowrie & Co. Ltd (blenders) en James Buchanan & Co. Ltd., de productie. De distilleerderij werd in 1965-1966 grondig verbouwd en het aantal ketels ging van twee naar zes.

In 1985 werd Glentauchers in de mottenballen gelegd door United Distillers, waarna het bedrijf in 1989 door Allied Distillers werd gekocht. Er worden voornamelijk malts voor blends geproduceerd; slechts een klein deel van deze gouden single malt is te koop bij speciaalzaken.

feiten

- 1897
- Allied Distillers Ltd.
- William G. Wright
- Stuwmeer gevoed door de Rosarie Burn
- 3 wash, 3 spirit
- Vooral hergebruikt
- Geen bezoekers

proefrapport

LEEFTIJD: 1979 40%

NEUS: geurig, licht, honingachtig.

SMAAK: lichte malt met zachte, droge afdronk.

Glenturret

HIGHLAND

GLENTURRET DISTILLERY, THE HOSH, CRIEFF, PERTHSHIRE PH7 4HA
TEL: +44 (0)1764 656565; FAX: +44 (0)1764 654366

GLENTURRET IS in 1775 gebouwd en daarmee de oudste distilleerderij in de Highlands. Men zou in deze streek al in 1717 zijn begonnen met het stoken. Het valt niet mee om de geschiedenis van een distilleerderij te achterhalen, en in het geval van Glenturret leren de archieven ons dat hier in de 19e eeuw twee distilleerderijen waren met dezelfde naam. Zeker is dat er in 1852 nog maar één actief was. Glenturret is een van de kleinste distilleerderijen van Schotland. Het bedrijf ligt naast de Turret Burn, die vanuit Loch Turret, een bron van koel, helder water, naar beneden stroomt. Glenturret behoort inmiddels tot Highland Distilleries.

Alfred Barnard schreef in 1887 dat hij "de 40 m hoge schoorstenen al kon zien als hij de Glen in draaide, die samen met de ketels en kuipen werden gebruikt". Tegenwoordig slaan meer dan 190.000 bezoekers per jaar die weg naar de distilleerderij in.

feiten

- 1775
- Highland Distilleries Co. Plc.
- Neil Cameron
- Loch Turret
- 1 wash, 1 spirit
- Mix van eikenhout voor bourbon/sherry
- Ma.-za. 09.30-16.30; jan.-feb. ma.-vrij. 11.30-14.30
  Manager toerisme: Derek Brown

proefrapport

LEEFTIJD: 12 jaar 40%

NEUS: aromatisch, een vleugje sherry en karamel.

SMAAK: een volle malt, heerlijke verwarmende smaak en een lange afdronk.

LEEFTIJD: 15 jaar 40%

NEUS: fris maar toch zoet.

SMAAK: volle smaak met engelwortel en specerijen; lange, fruitige afdronk.

leeftijd, bottelings, prijzen

Glenturret 12, 15, 18 en 21 jaar – van tijd tot tijd speciale bottelings

Glenturret Malt Whisky Liqueur 35%

1974, 1981 en 1991 IWSC gouden medaille

Le Monde Selection Brussel gouden medaille 1990, 1991, 1994, en vele andere prijzen

Highland Park

HIGHLAND — ORKNEY

HIGHLAND PARK DISTILLERY, HOLM ROAD, KIRKWALL,
ORKNEY KW15 1SU
TEL: +44 (0)1856 873107; FAX: +44 (0)1856 876091

HIGHLAND PARK is de noordelijkst gelegen distilleerderij van Schotland en bevindt zich op het eiland Orkney. De geschiedenis van de distilleerderij is sterk verbonden met de beruchte smokkelaar Magnus Eunson, over wie ik op blz. 11 al vertelde, maar het bedrijf schijnt door David Robertson te zijn opgericht. In 1826 kocht Robert Borwick de ketels, een moutschuur en andere gebouwen die gebouwd zijn naast het kristalheldere water dat afkomstig is van twee bronnen die worden gevoed door Cattie Maggie's Pool.

Na 1826 is de geschiedenis keurig bijgehouden; in 1898 werd het aantal ketels verdubbeld van twee naar vier. In 1935 ging de distilleerderij over naar haar huidige eigenaren, Highland Distilleries.

feiten

- 1798
- Highland Distilleries Co. Ltd.
- James Robertson
- Bronnen van Cattie Maggie's Pool
- 2 wash, 2 spirit
- Mix van eikenhout voor sherry/bourbon
- April-okt. ma.-vrij. 10.00-17.00, in juli en aug. ook za. en zo. 12.00-17.00 Nov., dec. en maart ma.-vrij. 14.00 en 15.30; met kerst en in jan. en febr. gesloten

Tijdens een audiovisuele presentatie in het bezoekerscentrum op Highland Park ziet u beelden van Orkney en de whiskyproductie, Highland Parks' eigen turfvelden, Maes Howe, de moutvloeren en de wateren van Scapa Flow.

Highland Park single malt is een prachtige diepgouden whisky, waaraan te proeven is dat de distilleerderij haar eigen gerst mout boven een turfvuur en waarin de zilte lucht een rol speelt.

SCOTLAND'S MALT WHISKY
REGIONS
Mull Head
NORTH
RONALDSAY
NORTH RONALDSAY FIRTH
THE NORTH
SOUND
WESTRAY
SANDAY
WESTRAY FIRTH
PEAT CUTTING
EDAY
SANDAY
SOUND
ROUSAY
HIGHLAND PARK
SINGLE MALT SCOTCH WHISKY
ORKNEY ISLANDS
STRONSAY
N
MAINLAND
STRONSAY
FIRTH
AUSKERRY SOUND
WIDE
FIRTH
Highland Park
Distillery
Kirkwall
HOY SOUND
Old Man of Hoy
Rora Head
SCAPA
FLOW
HOY
SOUTH
RONALDSAY
PENTLAND FIRTH
THE ORKNEY ISLES
STANDING STONE
HIGHLAND PARK CIRCA 1890
© Crown Copyright
ORKNEY

leeftijd, bottelings, prijzen

Highland Park 12 jaar 40% bij Highland Distilleries

8 jaar 40% en 57% en cask strength 1984 bij Gordon & MacPhail

proefrapport

LEEFTIJD: 12 jaar 40%

NEUS: rijk, rokerig, met een vleugje honing.

SMAAK: een schitterende ronde malt met boventonen van heide, turf en noten. Een droge, maar zoete afdronk. Een verrukkelijke malt voor na het eten.

Imperial

SPEYSIDE

IMPERIAL DISTILLERY, CARRON BY ABERLOUR, BANFFSHIRE AB43 9QP

TEL: +44 (0)1340 810276; FAX: +44 (0)1340 810563

IMPERIAL WERD in 1897 gebouwd door Thomas Mackenzie en ging in 1898 over naar Dailuaine Talisker Distilleries Ltd. De distilleerderij staat aan de oever van de rivier de Spey, ongeveer 5 km ten zuidwesten van Aberlour.

De geschiedenis van Imperial zit vol hiaten, maar we weten dat de distilleerderij in de jaren zestig grondig werd gemoderniseerd en dat de gerst tot 1984 werd gemout volgens het Saladin-systeem. Van 1985-1989 lag de productie stil, maar dankzij Allied Distillers wordt er weer volop gestookt. Imperial is een traditionele Highland-malt die hoog in aanzien staat. Er is weinig Imperial te koop als single malt.

feiten

- 1897
- Allied Distillers Ltd.
- R.S. MacDonald
- Ballintomb Burn
- 2 wash, 2 spirit
- Ex-bourbon
- Bellen voor een afspraak

proefrapport

LEEFTIJD: 1979 40%

NEUS: heerlijk aroma, bloemen en rook.

SMAAK: een uitmuntende malt, zoet en zacht. Soepele, verrukkelijke nasmaak. De single malt is niet overal verkrijgbaar.

Inchgower

SPEYSIDE

INCHGOWER DISTILLERY, BUCKIE, BANFFSHIRE AB56 2AB
TEL: +44 (0)1542 831161; FAX: +44 (0)1542 834531

feiten

- 1872
- United Distillers
- Douglas Cameron
- Bronnen in de Menduff Hills
- 2 wash, 2 spirit
- NB
- Geen bezoekers

INCHGOWER WERD in 1872 gebouwd door Alexander Wilson, ter vervanging van de Tochineal-distilleerderij, die hij in 1832 had opgericht. De gebouwen van Tochineal bestaan nog steeds. Inchgower ging in 1930 failliet en in 1936 kocht de gemeente Buckie de distilleerderij voor $ 1600. Arthur Bell & Sons Ltd. kochten haar in 1938; in 1966 werd het aantal ketels verdubbeld van twee naar vier. Inchgower behoort nu tot de Distillers Company Ltd. Omdat Buckie vlak bij de monding van de rivier de Spey ligt, staat er een scholekster op het etiket van een fles Inchgower.

proefrapport

LEEFTIJD: 14 jaar 43%

NEUS: zoet, vleugje appel.

SMAAK: gemiddeld volle malt met specerijen; zoete afdronk.

leeftijd, bottelings, prijzen

Inchgower 14 jaar 43%

Inchmurrin

HIGHLAND

LOCH LOMOND DISTILLERY, ALEXANDRIA, DUMBARTONSHIRE G83 0TL

TEL: +44 (0)1389 752781; FAX: +44 (0)1389 757977

INCHMURRIN IS in 1966 opgericht door The Littlemill Distillery Co. Ltd., een samenwerkingsverband tussen Duncan Thomas en Barton Brands uit Amerika. Er werden twee typen single malt geproduceerd: Inchmurrin en Rosdhu. In 1971 zette Barton Brands het bedrijf alleen voort en werden er enkele nieuwe faciliteiten voor blenden en bottelen gebouwd. In 1984 ging de distilleerderij dicht, maar gelukkig is de productie in 1987 hervat.

Inchmurrin is een heel lichte single malt.

feiten

- 1966
- Loch Lomond Distillery Co. Ltd.
- J. Peterson
- Loch Lomond
- 2 wash, 2 spirit
- NB
- Geen bezoekers

proefrapport

LEEFTIJD: 10 jaar 40%

NEUS: moutig, kruidig.

SMAAK: een lichte kruidige malt met een vleugje citroen en een korte afdronk.

Isle of Jura

HIGHLAND—JURA

ISLE OF JURA DISTILLERY, CRAIGHOUSE, JURA,
ARGYLLSHIRE PA60 7XT
TEL: +44 (0)1496 820240; FAX: +44 (0)1496 820344

AAN DE westkust van Schotland, aan de overkant van de Sound of Islay, bieden de pieken van de Paps of Jura een unieke aanblik. Jura is een van de dunst bevolkte Schotse eilanden (zo'n 200 inwoners). De distilleerderij is er een van de belangrijkste werkgevers. De afgelegen plek stimuleerde het illegale stoken en men denkt dan ook dat hier al sinds eind 16e eeuw whisky wordt geproduceerd. De distilleerderij werd opgericht in 1810. Eigenaren kwamen en gingen en de productie heeft herhaaldelijk stilgelegen. In 1876 en begin jaren zestig was er een verbouwing. Het bedrijf hoort nu bij Whyte & Mackay.

feiten

- 1810
- J.B.B. (Greater Europe) Plc.
- Willie Tait
- Market Loch
- 2 wash, 2 spirit
- Amerikaanse witte eik
- Bellen voor een afspraak

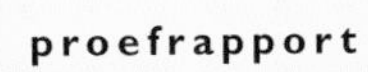

proefrapport

LEEFTIJD: 10 jaar 40%
NEUS: gouden malt met turfachtig aroma.
SMAAK: een lichte malt die geschikt is als aperitief; een volle smaak met ondertonen van honing en rook.

Knockando

SPEYSIDE

KNOCKANDO DISTILLERY, KNOCKANDO, MORAYSHIRE AB38 7RT

TEL: +44 (0)1340 810205; FAX: +44 (0)1340 810369

KNOCKANDO IS Gaelic voor 'kleine zwarte heuvel'. De in het jaar 1898 gebouwde distilleerderij ligt aan de oever van de Spey. In 1900 ging ze over in handen van J. Thomson & Co. en in 1904 werd W.A. Gilbey Ltd. haar eigenaar. Nu behoort Knockando toe aan International Distillers & Vintners Ltd. en wordt een groot deel van de fijne malt gebruikt voor de blend J&B. Knockando is een dorpje met zo'n 200 inwoners; veel van de huizen zijn oorspronkelijk gebouwd voor de arbeiders van de distilleerderij.

In 1905 kwam er een verbinding tussen de distilleerderij en de Great North of Scotland-spoorweg, zodat de whisky sneller kon worden vervoerd. In 1969 werd de distilleerderij verbouwd en kwamen er vier in plaats van twee ketels. Knockando is een goudkleurige single malt die wordt gebotteld wanneer men vindt dat de juiste mate van rijpheid is bereikt. Op de fles staat zowel de datum van distillatie als de datum van botteling.

feiten

- 1898
- International Distiller & Vintners Ltd.
- Innes A. Shaw
- Cardnach Spring
- 2 wash, 2 spirit
- Ex-bourbon en sherry
- Bellen voor een afspraak

leeftijd, bottelings, prijzen

Knockando, minstens 12 jaar gerijpt

Knockando Special Selection, minstens 15 jaar gerijpt

Knockando Extra Old, minstens 20 jaar gerijpt

proefrapport

LEEFTIJD: gedistilleerd 1982, gebotteld 1996 43%

NEUS: geurig, kruidig.

SMAAK: een naar stroop smakende malt met ondertonen van specerijen en hazelnoot.

Lagavulin

ISLAY

LAGAVULIN DISTILLERY, PORT ELLEN, ISLAY, ARGYLL PA42 7DZ
TEL: +44 (0)1496 302400; FAX: +44 (0)1496 302321

OORSPRONKELIJK waren hier twee distilleerderijen. De eerste werd in 1816 gebouwd door John Johnston, die tot 1833 whisky bleef produceren. De tweede werd in 1817 gebouwd door Archibald Campbell. In 1821 stopte Campbell met de productie en van 1825 tot 1834 had John Johnston beide distilleerderijen in zijn bezit. Waarschijnlijk werd er al voor die tijd illegaal gestookt. De beroemde schrijver Alfred Barnard schreef in 1887 dat stoken "de voornaamste bezigheid was van de keuterboeren en vissers, met name in de winter. In die dagen kon een beetje smokkelaar minstens tien shilling per dag verdienen en een paard en een koe houden".

In 1837 had Donald Johnston één distilleerderij, die in 1852 door John Graham werd gekocht. Na nog een aantal eigenaren werd Lagavulin onderdeel van de Distillers Company. Kleine coasters transporteerden gerst, kolen en lege vaten van Glasgow naar Lagavulin en voeren terug

feiten

- 1816
- United Distillers
- Mike Nicolson
- Solum Lochs
- 2 wash, 2 spirit
- NB
- Bel 01496 302250 voor een afspraak

leeftijd, bottelings, prijzen

Lagavulin 16 jaar 45% bij United Distillers Classic Malt-serie

1995, 1996 IWSC gouden medaille

met volle vaten. Deze coasters werden *pibrochs* genoemd en bleven tot begin jaren zeventig in gebruik; pas toen kwamen er rij-op-rij-af-veerboten.

Lagavulin ligt aan een baai in Port Ellen, waar zich ook de ruïne van Dunyveg Castle bevindt.

proefrapport

LEEFTIJD: 16 jaar 43%

NEUS: krachtige, turfachtige geur.

SMAAK: volle, uitgesproken turfsmaak met ondertonen van zoetheid en een lange afdronk. Een perfecte malt voor na het eten.

Laphroaig

ISLAY

LAPHROAIG DISTILLERY, PORT ELLEN, ISLE OF ISLAY PA42 7DU
TEL: +44 (0)1496 302418; FAX: +44 (0)1496 302496

LAPHROAIG WERD in 1815 opgericht door Alexander en Donald Johnston, die zich daar omstreeks 1810 als boer hadden gevestigd. De eerste officiële registratie dateert van 1826. De distilleerderij bleef in de familie tot 1908; toen liet Ian Hunter haar na aan ene Bessie Williamson. Zij was de eerste vrouw die helemaal alleen een distilleerderij runde in Schotland. Laphroaig heeft een aparte smaak. Tijdens de Drooglegging werd dit merk legaal door Amerika geïmporteerd vanwege zijn 'medicinale' eigenschappen. Laphroaig wordt nu door Allied Distillers op de markt gebracht.

De distilleerderij staat op een idyllische plek aan de kust. Laphroaig is een van de populairste single malts. Momenteel krijgt iedereen bij een fles Laphroaig een uitnodiging om een stukje grond van 30 cm² te kopen naast de distilleerderij. Er zijn al duizenden trotse landeigenaren.

feiten

- 1815
- Allied Distillers Ltd.
- Iain Henderson
- Kilbride Dam
- 3 wash, 4 spirit
- Amerikaanse first-fill bourbon voor single malt
- Bellen voor een afspraak

Laphroaig is een van de weinige distilleerderijen die haar gerst nog zelf mout boven ovens waarin plaatselijke turf wordt gestookt. Laphroaig is een warm-gouden malt.

proefrapport

LEEFTIJD: 10 jaar 40%

NEUS: direct herkenbaar, vol, turfachtig, beetje medicinaal.

SMAAK: een volle malt, eerst turfachtig van smaak, maar dan zoeter. Lange, droge, iets zilte afdronk.

leeftijd, bottelings, prijzen

Laphroaig wordt gebotteld op 10 en 15 jaar

Vintage 1976 in totaal 5400 flessen, een aantal verkrijgbaar in tax free shops

Leverancier van de prins van Wales

1994 Queen's Award for Export Achievement

1993 IWSC gouden medaille – 10 jaar

1985 IWSC gouden medaille – 15 jaar

Linkwood

SPEYSIDE

LINKWOOD DISTILLERY, ELGIN, MORAYSHIRE IV30 3RD
TEL: +44 (0)1343 547004; FAX: +44 (0)1343 549449

LINKWOOD IS in 1825 opgericht door Peter Brown, agent voor Seafield Estates in Moray en Banffshire. Zijn vader was boer in Linkwood en waarschijnlijk kwam een groot deel van de gerst van die boerderij en werd het afval van de distilleerderij daar gebruikt als veevoer.

In 1872 werd de distilleerderij verbouwd door Peters zoon, William, en in 1897 werd het bedrijf op de markt gebracht als de Linkwood-Glenlivet Distillery Co. Ltd. en gekocht door Scottish Malt Distillers. In 1971 werd het aantal ketels verhoogd van twee naar zes.

feiten

- 1825
- United Distillers
- Ian Millar
- Bronnen bij Milbuies Loch
- 3 wash, 3 spirit
- NB
- Alleen op afspraak

leeftijd, bottelings, prijzen

Linkwood 12 jaar

Linkwood 20 jaar gedistilleerd in 1972 58,4% beperkte editie bij United Distillers Rare Malts Selection

SPEYSIDE

SINGLE MALT

SCOTCH WHISKY

LINKWOOD

distillery stands on the *River Lossie*, close to *ELGIN* in *Speyside*. The *distillery* has retained its *traditional atmosphere* since its *establishment* in 1821. Great care has always been taken to *safeguard* the character of the *whisky* which has remained the same through the years. Linkwood is one of the *FINEST* *Single Malt Scotch Whiskies* available - *full bodied* with a *hint* of *sweetness* and a *slightly smoky aroma*.

YEARS 12 OLD

43% vol

Distilled & Bottled in *SCOTLAND*.
LINKWOOD DISTILLERY
Elgin, Moray, *Scotland*.

70 cl

proefrapport

LEEFTIJD: 20 jaar gedistilleerd 1972 58,4%

NEUS: vol, met fruit en karamel.

SMAAK: volle malt met honing en een vleugje turf; een lange, zoete afdronk.

Longmorn

SPEYSIDE

Longmorn Distillery, bij Elgin, Morayshire IV30 3SJ
tel: +44 (0)1542 783400; fax: +44 (0)1542 783404

feiten

- 1894
- Seagram Co. Ltd.
- Bob MacPherson
- Plaatselijke bronnen
- 4 wash, 4 spirit
- NB
- Alleen op afspraak

LONGMORN WERD in 1894 gebouwd door Charles Shirres, George Thomson en John Duff. Een groot waterrad leverde stroom en de eerste distillatie vond plaats in december 1894. In 1897 werd Longmorn Distilleries Co. gelanceerd, maar in 1898 raakte John Duff, die toen alle aandelen bezat, in financiële problemen. Hill, Thomson & Co. Ltd. en James Grant, de directeur, en zijn zonen zetten de distilleerderij voort. De familie Grant bleef in het bedrijf tot 1970, toen het samenging met The Glenlivet en Glen Grant Distillers Ltd. In 1978 werd het bedrijf gekocht door de Seagram Co. Ltd.

Longmorn wordt door Seagram op de markt gebracht als onderdeel van de Heritage Selection en is overal verkrijgbaar. Longmorn is een kopergouden single malt.

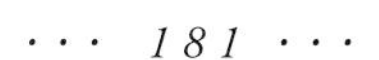

leeftijd, bottelings, prijzen

Longmorn 15 jaar 43% als onderdeel van de Heritage Selection

1994 IWSC gouden medaille

proefrapport

LEEFTIJD: 15 jaar 43%

NEUS: geurig, verfijnd, iets fruitig.

SMAAK: smaakvol met vleugjes fruit, bloemen en hazelnoot; een lange, zoete afdronk.

The Macallan

SPEYSIDE

THE MACALLAN DISTILLERY, CRAIGELLACHIE, BANFFSHIRE AB38 9RX

TEL: +44 (0)1340 871471; FAX: +44 (0)1340 871212

DEZE DISTILLEERDERIJ werd in 1824 opgericht door Alexander Reid bij een doorwaadbare plaats in de Spey bij Easter Elchies. Easter Elchies Manor hoort nu bij het distilleerderijcomplex. Na diverse eigenaren kwam het bedrijf in 1892 in handen van Roderick Kemp, die het een nieuwe naam gaf: Macallan-Glenlivet. De distilleerderij bleef in de familie tot ze in 1996 deel ging uitmaken van Highland Distilleries.

feiten

- 1824
- Highland Distilleries Company Plc.
- David Robertson
- De Ringorm Burn
- 7 wash, 14 spirit
- Ex-sherry, eiken; gebotteld percentage afhankelijk van leeftijd
- Alleen op afspraak

In 1965 waren er 12 ketels, in 1974 18 en in 1975 maar liefst 21. De ketels zijn klein – ze hebben allemaal dezelfde vorm en grootte als de ketels die er vroeger werden gebruikt. The Macallan rijpt in oude eikenhouten sherryvaten, die de malt whisky een speciale smaak geven. The Macallan varieert qua kleur van heel lichtgoud tot donker amber.

leeftijd, bottelings, prijzen

The Macallan wordt gebotteld op
7, 10, 12, 18 en 25 jaar
Beperkte editie 60 jaar oud met handgeschilderde etiketten door Valerio Adami
Speciale 7 jaar oude botteling voor Italië
Distillers Choice voor Japan
Queen's Award for Export (2x)
IWSC gouden medaille 1996

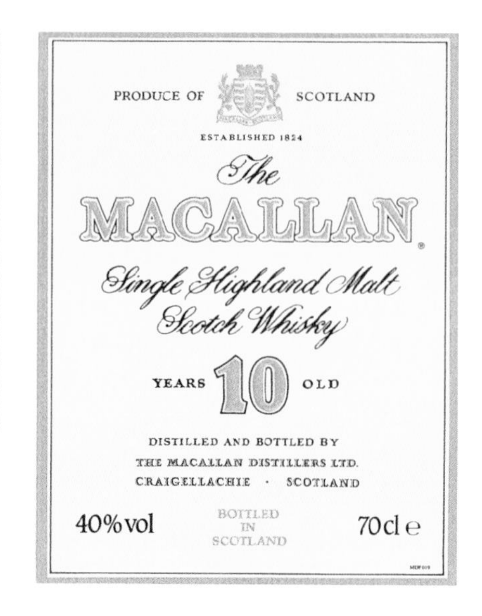

proefrapport

LEEFTIJD: 10 jaar 40%
NEUS: lichte, geurige sherry
SMAAK: volle sherry met vleugjes vanille en fruit; een lange, soepele, ronde afdronk. Een malt om voor of na het eten van te genieten.

Mannochmore

SPEYSIDE

MANNOCHMORE DISTILLERY, ELGIN, MORAYSHIRE IV30 3SS

TEL: +44 (0)1343 860331; FAX: +44 (0)1343 860302

OP HET ETIKET van Mannochmore 12 jaar single malt staat een specht getekend: een vaste bewoner van het bos naast de distilleerderij. Mannochmore werd in 1971 naast de Glenlossie-distilleerderij gebouwd en ging in 1985 dicht, maar United Distillers openden haar weer in 1989. Jammer genoeg ligt het bedrijf sinds 1995 in de mottenballen, maar het kan best zijn dat het weer nieuw leven ingeblazen krijgt.

Mannochmore is een mooie lichtgouden malt.

feiten

- 1971
- United Distillers
- Niet operationeel
- De Bardon Burn
- 3 wash, 3 spirit
- NB
- Geen bezoekers

leeftijd, bottelings, prijzen

Mannochmore 12 jaar 43%

SPEYSIDE

SINGLE MALT *SCOTCH WHISKY*

MANNOCHMORE

distillery stands a few miles *south* of Elgin in *Morayshire*. The nearby *Millbuies Woods* are rich in birdlife, including the Great *Spotted* Woodpecker. The *distillery* draws process *water* from the Bardon Burn, which has its *source* in the MANNOCH HILLS, and *cooling water* from the Gedloch Burn and the *Burn* of *Foths*. Mannochmore *single MALT WHISKY* has a *light, fruity* aroma and a *smooth*, mellow *taste*.

AGED 12 YEARS

43% vol — 70cl

proefrapport

LEEFTIJD: 12 jaar 43%

NEUS: verfijnd, lenteachtig, met een vleugje turf.

SMAAK: een fijne malt met een duidelijke, frisse smaak; een lange, iets zoete nasmaak.

Miltonduff

SPEYSIDE

Miltonduff Distillery, Miltonduff, Elgin, Morayshire IV30 3TQ
Tel: +44 (0)1343 547433; fax: +44 (0)1343 548802

De Miltonduff-distilleerderij ligt in de Glen van Pluscarden, op de plaats waar de priorij vroeger stond, langs de Black Burn. Miltonduff was een van de eerste distilleerderijen die in 1824 een vergunning aanvroegen.

feiten

- 1824
- Allied Distillers Ltd.
- Stuart Pirie
- Black Burn
- 3 wash, 3 spirit
- Meestal ex-bourbon
- Alleen op afspraak, ma.-do.

Er schijnen hier meer dan 50 illegale stokerijen te zijn geweest en tot ver in de 19e eeuw werd er druk gesmokkeld. De Glen van Pluscarden was een ideale plek om whisky te stoken, beschermd door de omringende heuvels. De smokkelaars waarschuwden elkaar met speciale tekens. Zodra er *excisemen* naderden, werd op een van de heuvels een vlag

gehesen. Maar een van de belastinginners kreeg hier lucht van. Hij verstopte zich 's nachts en wachtte tot de mannen de volgende dag op het land waren. Toen ging hij naar de boerderij, waar de boerin bezig was de ketel uit elkaar te halen. Naar het schijnt was zij nogal uit de kluiten gewassen en hij een stuk kleiner. Volgens de legende is hij nooit meer teruggezien!

De distilleerderij is nu de grootste maltproducent van Allied Distillers. Het leeuwendeel van de productie wordt gebruikt voor Ballantine's Whisky.

In het verleden maakte Miltonduff ook een zwaardere malt, Mosstowie, maar de ketels werden in 1981 verwijderd. Er zijn nog wel flessen Mosstowie single malt te krijgen bij Gordon & MacPhail.

leeftijd, bottelings, prijzen

Miltonduff 12 jaar 43%

Ook verkrijgbaar in verschillende leeftijden bij Cadenheads in Edinburgh

proefrapport

LEEFTIJD: 12 jaar 43%

NEUS: geurig.

SMAAK: een gemiddeld volle malt met een frisse smaak.

Miyagikyo

JAPAN

SENDAI MIYAGIKYO DISTILLERY, NIKKA I-BANCHI, AOBA-KU,
SENDAI-SHI, MIYAGI-KEN 989034, JAPAN
TEL: +81 (0)22 395 2111; FAX: +81 (0)22 395 2861

DE GESCHIEDENIS van de Nikka Whisky Distilling Co. Ltd. is boeiend. In 1918 ging Masataka Taketsuru, zoon van een sakebrouwer, naar de universiteit van Glasgow om kennis op te doen over de whiskydistillatie. Enkele jaren later keerde Masataka naar Japan terug met een Schotse bruid, Jessie Rita. Met zijn schat aan informatie ging hij op zoek naar de perfecte plek voor een whiskydistilleerderij. Hij kwam uit in Yoichi, op het eiland Hokkaido, en bouwde zijn distilleerderij in 1934. In 1969 werd de tweede gebouwd, Sendai, ten noorden van het hoofdeiland. Sendai wordt omringd door bergen die tussen twee rivieren liggen. Deze distilleerderij produceert Miyagikyo, een mahoniekleurige single malt.

feiten

- 1969
- Nikka Whisky Distilling Co. Ltd.
- Yoshitomo Shibata
- Plaatselijke bronnen
- 4 wash, 4 spirit
- Mix van sherry, bourbon, hergebruik en nieuw
- Hele jaar open, met restaurant en winkels

leeftijd, bottelings, prijzen

Miyagikyo 12 jaar oud; jaarlijks worden 10.000 flessen geproduceerd, meestal alleen verkocht in Japan.

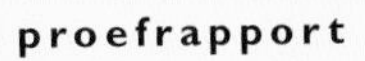

proefrapport

LEEFTIJD: 12 jaar

NEUS: warm, sherry

SMAAK: licht, met sherry, mout en vanille; een frisse afdronk.

鶴

NIKKA
WHISKY
THE NIKKA WHISKY DISTILLING CO.,LTD.

Mortlach

SPEYSIDE

MORTLACH DISTILLERY, DUFFTOWN, KEITH, BANFFSHIRE AB55 4AQ
TEL: +44 (0)1340 820318; FAX: +44 (0)1340 820019

MORTLACH IS opgericht in 1824 door James Findlater, Donald Mackintosh en Alexander Gordon. In 1832 nam A. & T. Gregory het bedrijf over, waarna het werd doorverkocht aan J. & J. Grant van de Glen Grant-distilleerderij. Het bedrijf werd ontmanteld en lag stil tot 1842; toen blies John Gordon het nieuw leven in. In het begin was de distilleerderij een boerderij en werd het afval gebruikt als veevoer. In 1854 trad George Cowie toe tot het bedrijf. Hij bleef tot 1897 eigenaar, toen Mortlach werd gekocht door John Walker & Sons Ltd. In 1924 ging Mortlach over in handen van de Distillers Company. De distilleerderij werd in 1963 volledig opnieuw opgebouwd.

feiten

- 1824
- United Distillers
- Steve McGringle
- Bronnen in de Conval Hills
- 3 wash, 3 spirit
- NB
- Geen bezoekers

SPEYSIDE
SINGLE MALT
SCOTCH WHISKY

MORTLACH

was the first of seven distilleries in Dufftown. In the 19th farm animals kept in adjoining byres were fed on barley left over from processing. Today water from springs in the CONVAL HILLS is used to produce this delightful smooth, fruity single MALT SCOTCH WHISKY.

AGED 16 YEARS

43% vol 70 cl

leeftijd, bottelings, prijzen

Mortlach 16 jaar 43%

proefrapport

LEEFTIJD: 16 jaar 43%

NEUS: fruitig, warm, met een vleugje turf.

SMAAK: volle malt met karamel en specerijen, lange afdronk met sherry en honing.

Oban

HIGHLAND

OBAN DISTILLERY, STAFFORD STREET, OBAN, ARGYLL PA34 5NH
TEL: +44 (0)1631 562110; FAX: +44 (0)1631 563344

OBAN BEHOORT tot de Classic Malt-serie van United Distillers. Het bedrijf werd in 1794 opgericht door de Stevensons, plaatselijke zakenlieden met belangen in steengroeven, de huizenbouw en de scheepsbouw. De distilleerderij werd in 1866 verkocht aan Peter Cumstie. Walter Higgin nam in 1883 het roer van Cumstie over en liet een verbouwing uitvoeren. In 1898 verkocht hij de distilleerderij aan de Oban and Aultmore-Glenlivet Distilleries Ltd. In de directie zaten Alexander Edward, de eigenaar van Aultmore, en de heren Greig en Gillespie van whiskyblenders Wright & Greig.

De gebouwen van Oban zijn de afgelopen 100 jaar nauwelijks veranderd en liggen dicht tegen de klippen aan die zich enkele honderden meters boven de distilleerderij verheffen.

feiten

- 1794
- United Distillers
- Ian Williams
- Loch Gleann a'Bhearraidh
- 1 wash, 1 spirit
- NB
- Hele jaar geopend ma.-vrij. 09.30-17.00 Pasen-okt. ook zaterdag

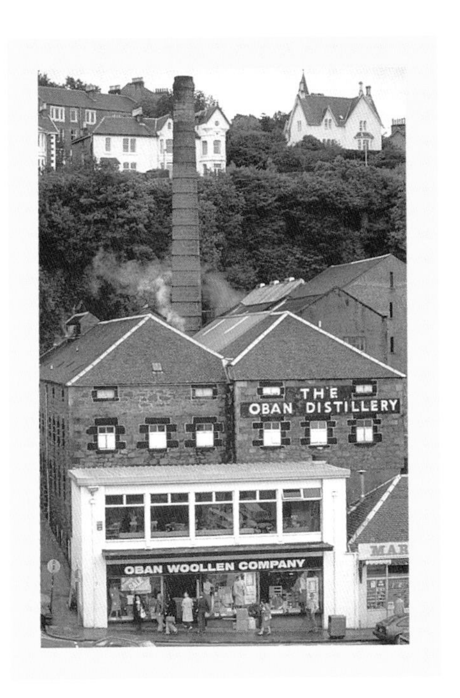

leeftijd, bottelings, prijzen

Oban 14 jaar 43%

proefrapport

LEEFTIJD: 14 jaar 43%

NEUS: licht, met een vleugje turf.

SMAAK: gemiddeld volle malt met een vleugje rook en een lange, aangename afdronk.

Old Fettercairn

HIGHLAND

FETTERCAIRN, DISTILLERY ROAD, LAURENCEKIRK,
KINCARDINESHIRE AB30 1YE
TEL: +44 (0)1561 340244; FAX: +44 (0)1561 340447

HOEWEL ER volgens de legende al eerder een distilleerderij in dit gebied was, verderop in de Grampian-bergen, is dit nergens vastgelegd. In de archieven staat wel dat deze distilleerderij door Sir Alexander Ramsay in 1824 op deze plek aan de voet van de heuvels werd gebouwd. Het gebouw, oorspronkelijk een korenmolen, werd in 1887 door brand verwoest. Het werd al gauw weer opgebouwd en in 1966 werd de distilleerderij uitgebreid: er kwamen vier ketels in plaats van twee. Na diverse eigenaren werd Old Fettercairn in 1971 gekocht door de Tomintoul Glenlivet Distillery Co. Ltd.; het bedrijf maakt nu deel uit van de Whyte & Mackay Group Plc.

Old Fettercairn is een mooie kopergouden single malt.

feiten

- 1824
- Whyte & Mackay Group Plc.
- B. Kenny
- Bronnen in de Grampians
- 2 wash, 2 spirit
- Amerikaanse witte eik, oloroso sherry
- Ma.-za. 10.00-16.30 Bel 01561 340205 voor groepen

leeftijd, bottelings, prijzen

Old Fettercairn 10 jaar 43%

proefrapport

LEEFTIJD: 10 jaar 43%

NEUS: verfijnd, fris, vleugje rook.

SMAAK: een goede malt voor een beginner – volle smaak, ondertonen van turf en een droge afdronk.

Rosebank

LOWLAND

ROSEBANK DISTILLERY, CAMELON, FALKIRK, STIRLINGSHIRE FK1 5BW
TEL: +44 (0)1324 623325

HOEWEL IEDEREEN zegt dat Rosebank in 1840 door James Rankine is gebouwd in de mouterij van de Camelon-distilleerderij, was er volgens de archieven in 1817 nog een distilleerderij die Rosebank heette. Het huidige bedrijf werd in 1864 verbouwd en kreeg in 1894 de naam Rosebank. Rosebank heeft een wash- en twee spirit-ketels en is een drievoudig gedistilleerde malt. Het bedrijf ligt sinds 1993 in de mottenballen. Rosebank is een zomerse, goudkleurige malt.

feiten

- 1840
- United Distillers
- Niet operationeel
- Reservoir Carrow Valley
- 1 wash, 2 spirit
- NB
- Geen bezoekers

proefrapport

LEEFTIJD: 1984 40%

NEUS: fris, met rook en honing.

SMAAK: gemiddeld vol, met een soepele, iets droge citrussmaak.

Royal Brackla

HIGHLAND

ROYAL BRACKLA DISTILLERY, CAWDOR, NAIRN,
NAIRNSHIRE IV12 5QY
TEL: +44 (0)1667 404280; FAX: +44 (0)1667 404743

ROYAL BRACKLA single malt whisky wordt door United Distillers aangeprezen als 'The King's Own Whisky', omdat de distilleerderij in 1833 van koning William IV een koninklijke volmacht kreeg. Brackla werd in 1812 opgericht door kapitein William Fraser. De distilleerderij ligt vlak bij Cawdor Castle (het huis van Macbeth). Robert Fraser nam het bedrijf in 1852 over, waarna de naam Robert Fraser & Co. werd. In 1898 werd het verkocht aan John Mitchell en James Leict uit Aberdeen, en daarna aan John Bisset & Co., die het in 1943 weer doorverkocht aan Scottish Malt Distillers. De distilleerderij werd in 1965 grondig verbouwd en in 1970 van twee extra ketels voorzien.

Royal Brackla is een fijne goudkleurige malt.

feiten

- 1812
- United Distillers
- Chris Anderson
- De Cawdor Burn
- 2 wash, 2 spirit
- NB
- Geen bezoekers

leeftijd, bottelings, prijzen

Royal Brackla zonder leeftijd 40%

HIGHLAND

SINGLE MALT *SCOTCH WHISKY*

ROYAL BRACKLA

distillery, established in 1812, lies on the *southern* shore of the MORAY FIRTH at *Cawdor* near *Nairn*. Woods around the *distillery* are home to the *SISKIN*: although a *shy bird*, it can often be seen *feeding* on *conifer* seeds.

In 1835 a *Royal Warrant* was granted to the *distillery* by King William IV, who enjoyed the *fresh, grassy, fruity* aroma of this *single malt whisky*.

43% vol — AGED 10 YEARS — 70 cl

Distilled & Bottled in SCOTLAND ROYAL BRACKLA DISTILLERY, Cawdor, Nairn, Scotland

proefrapport

LEEFTIJD: zonder leeftijd 40%

NEUS: turf, honing en specerijen.

SMAAK: gemiddeld volle malt, kruidig zoet, met een heldere, iets fruitige afdronk.

Royal Lochnagar

HIGHLAND

ROYAL LOCHNAGAR, CRATHIE, BALLATER, ABERDEENSHIRE AB35 5TB
TEL: +44 (0)1339 742273; FAX: +44 (0)1339 742312

ZOALS ZO VAAK waren er twee Lochnagars. De eerste werd in 1826 gebouwd en in 1860 gesloten. De huidige distilleerderij werd in 1845 gevestigd door de boer John Begg en heette eerst New Lochnagar. De distilleerderij ligt vlak bij Balmoral, in het prachtige landschap van Deeside, en lijkt nog steeds op een boerderij met bijgebouwen. In 1848 schreef Begg een brief aan koningin Victoria om haar te melden dat de drank klaar was en haar uit te nodigen om de distilleerderij te bezoeken.

De koningin, prins Albert en hun familie arriveerden de volgende dag, en zo was Royal Lochnagar geboren.

feiten

- 1845
- United Distillers
- Alastair Skakles
- Plaatselijke bronnen
- 1 wash, 1 spirit
- NB
- Pasen-okt. ma.-zo. en nov.-Pasen ma.-vrij. 10.00-17.00 Meertalige uitleg, restaurant

proefrapport

LEEFTIJD: 12 jaar 40%

NEUS: warm, kruidig aroma.

SMAAK: een whisky om van te genieten, met fruit, mout en en een vleugje vanille en eik. Een zoete, lange afdronk.

leeftijd, bottelings, prijzen

Royal Lochnagar 12 jaar 40% en zonder leeftijd

De prins van Wales bezocht de distilleerderij in 1996 nog een keer.

Royal Lochnagar behoort nu tot United Distillers. De distilleerderij speelt een belangrijke rol in het dorpsleven van Crathie: er worden bijeenkomsten en *ceilidhs* (traditionele Schotse bijeenkomsten met muziek en voordrachten) gehouden in het restaurant en de schuren. De werknemers van de distilleerderij hebben ook een natuurreservaat opgezet, dat in de prijzen is gevallen. In samenwerking met de plaatselijke scholen hebben ze de flora en fauna van het hele gebied, inclusief de vleermuispopulatie, in kaart gebracht.

Scapa

HIGHLAND—ORKNEY

SCAPA DISTILLERY, ST OLA, ORKNEY KW15 1SE
TEL: +44 (0)1856 872071; FAX: +44 (0)1856 876585

feiten

- 1885
- Allied Distillers Ltd.
- R.S MacDonald
- Bronnen
- 1 wash, 1 spirit
- Ex-bourbon
- Bellen voor een afspraak

SCAPA IS een van de noordelijkst gelegen distilleerderijen van Schotland, gelegen aan de oevers van de Lingro Burn en uitkijkend over Scapa Flow op het eiland Orkney. Scapa werd gebouwd door J.T. Townsend op de plek waar eerst een graanmolen stond. In de jaren vijftig kocht Hiram Walker van Allied Distillers het bedrijf van Bloch Bros. uit Glasgow. De distilleerderij werd in 1959 verbouwd en bleef operationeel tot 1993; sindsdien ligt ze in de mottenballen. Er is plaatselijk een prachtige voorraad koel, helder grondwater dat ten noorden van de Orquil Farm omhoog komt.

In de Tweede Wereldoorlog verborg de Duitse vloot zich in Scapa Flow ter voorbereiding op een offensief. Die aanval kwam er echter nooit en de vloot werd door de Duitse marine tot zinken gebracht. De overblijfselen steken nog steeds uit het water.

Een nieuwe 12 jaar oude Scapa single malt wordt door Allied Distillers Ltd. gebotteld. Andere leeftijden zijn verkrijgbaar bij Gordon & MacPhail.

leeftijd, bottelings, prijzen

Scapa 12 jaar 40% Allied Distillers

Scapa 1985 verkrijgbaar bij Gordon & MacPhail

1996 IWSC gouden medaille

proefrapport

LEEFTIJD: 12 jaar 40%

NEUS: het eiland Orkney in een fles: zee, turf en heide.

SMAAK: een mix van zout en citrus, met een lange, frisse afdronk. Probeer Scapa eens als aperitief in een cocktail.

The Singleton

SPEYSIDE

SINGLETON AUCHROISK DISTILLERY, MULBEN, BANFFSHIRE AB55 3XS
TEL: +44 (0)1542 860333; FAX: +44 (0)1542 860265

THE SINGLETON, een nieuwkomer in de whiskybranche, werd in 1974 opgericht. De eerste single malt werd in 1978 in Groot-Brittannië op de markt gebracht. De distilleerderij is van International Distillers and Vintners Ltd. en wordt beheerd door de dochteronderneming Justerini & Brooks Ltd. De distilleerderij is in traditionele stijl gebouwd en in de hal staat een oude stoommachine uit Strathmill te pronken. De distilleerderij beschikt over een aantal opslagplaatsen waar diverse Highland- en Speyside-malts liggen te rijpen.

The Singleton heeft overal ter wereld een uitstekende reputatie en is verkrijgbaar in verschillende leeftijden. De 10 jaar oude 43% heeft de kleur van beukenbladeren in de herfst.

feiten

- 1974
- International Distillers & Vintners Ltd.
- Graeme Skinner
- Dorie's Well
- 4 wash, 4 spirit
- Ex-bourbon en sherry
- Bellen voor een afspraak

leeftijd, bottelings, prijzen

The Singleton 10 jaar 43%

The Singleton Particular alleen verkrijgbaar in Japan, minimaal 12 jaar gerijpt

Vele prijzen, o.a.:

1989 IWSC beste malt whisky

1992 en 1995 IWSC gouden medaille

proefrapport

LEEFTIJD: 10 jaar 43%

NEUS: rijk, verwarmend, met een vleugje sherry.

SMAAK: volle smaak op de tong, met vleugje mandarijn en honing; soepel in de mond en een warme, lange afdronk. Aanbevolen voor na het eten.

Speyburn

SPEYSIDE

SPEYBURN DISTILLERY, ROTHES, ABERLOUR, MORAYSHIRE AB38 7AG

TEL: +44 (0)1340 831231; FAX: +44 (0)1340 831678

SPEYBURN, IN 1897 opgericht door John Hopkins & Co., ligt op een pittoreske plek in de glooiende heuvels rond het Spey-dal. Volgens de overlevering begon men al te stoken voordat het gebouw klaar was, en was het zo koud dat de werknemers hun jassen moesten aanhouden.

De directie wilde graag het diamanten jubileum van koningin Victoria op 1 november 1897 memoreren met hun eerste flessen whisky, maar helaas lag er op die dag maar één vat in het entrepot. Speyburn was een van de eerste distilleerderijen waar pneumatische mouttrommels werden gebruikt, die oorspronkelijk op stoom werkten.

feiten

- 1897
- Inver House Distillers Ltd.
- S. Robertson
- De Granty (of Birchfield) Burn, een zijarm van de Spey
- 1 wash, 1 spirit
- Eik
- Geen bezoekers

leeftijd, bottelings, prijzen

Speyburn 10 jaar 40% bij Inver House

Gouden medaille en Beste Koop in de Wine Enthusiast (VS)

proefrapport

LEEFTIJD: 10 jaar 40%

NEUS: droog, zoet aroma

SMAAK: een warme, smaakvolle malt met een vleugje honing en kruiden in de afdronk.

Heerlijk na het eten.

In 1916 ging Speyburn over naar de Distillers Company Ltd. en in 1992 naar Inver House Distillers Ltd. Speyburn is een lichtgouden single malt die op 10-jarige leeftijd wordt gebotteld.

Springbank

CAMPBELTOWN

J. & A. Mitchell & Co. Ltd, Springbank Distillery,
Campbeltown, Argyll PA28 6EJ
tel: +44 (0)1586 552085; fax: +44 (0)1586 553215

SPRINGBANK WERD in 1828 gebouwd in Campbeltown op de Mull of Kintyre door de broers Archibald en Hugh Mitchell. Hun vader had op die plaats een illegale stokerij. Men denkt dat de Mitchells daar al minstens 100 jaar whisky stookten. In 1872 hadden ze vier distilleerderijen in de streek. In de loop der jaren groeide de vraag naar Campbeltown-whisky, vooral van de zijde van blenders. De overdadige plaatselijke voorraad kolen stimuleerde het bouwen van meer en meer distilleerderijen. Maar toen de voorraad kolen begon te slinken, ging de kwaliteit van de whisky achteruit. Omstreeks 1920 was het uit met de welvaart en kochten blenders hun malts ergens anders.

feiten

- 1828
- J. & A. Mitchell & Co. Ltd.
- Frank McHardy
- Crosshill Loch
- 2 wash, 2 spirit
- Hergebruik whisky, ex-bourbon en sherry
- Alleen op afspraak juni-sept. ma.-vrij. 14.00

De kwaliteit van de single malt whisky van de Mitchells bleef echter uitstekend. Hun distilleerderij neemt een prominente plaats in in het centrum van Campbeltown. De huidige directeur is een directe afstammeling van Archibald Mitchell.

De productie van een single malt verloopt volledig in eigen beheer. Van het eerste stadium van het traditionele mouten van de gerst tot de uiteindelijke botteling: alles gebeurt ter plaatse. Springbank is een van de twee distilleerderijen die zelf bottelt (de andere is Glenfiddich). Het resultaat van deze zorgzaamheid is een alom gewaardeerde malt met een ronde smaak en een rijk aroma. Longrow is even oud als Springbank. Sinds 1824 werd onder deze naam een fijne malt geproduceerd, maar de distilleerderij –die naast Springbank stond– moest in 1896 haar deuren sluiten. Het recept voor deze turfachtige malt bleef in de familie en in 1973 werd bij Springbank een distillatie uitgevoerd waarvan het resultaat bij gespecialiseerde handelaren te koop is. Van tijd tot tijd wordt er weer een Longrow geproduceerd en ik heb begrepen dat er in 1997 weer een 10 jaar oude in de handel komt.

leeftijd, bottelings, prijzen

Springbank is verkrijgbaar op 12, 15, 21, 25 en 30 jaar

1919 Springbank gebotteld in 1970 – een zeer speciale 50 jaar oude single malt

proefrapport

LEEFTIJD: 15 jaar 46%

NEUS: fris, rijk, met vleugje turf.

SMAAK: gemiddeld vol, eerst zoet, dan volgt de smaak van zee en eik. Een lange, soepele afdronk.

Strathisla

SPEYSIDE

STRATHISLA DISTILLERY, SEAFIELD AVENUE, KEITH,
BANFFSHIRE AB55 3BS
TEL: +44 (0)1542 783042

STRATHISLA WERD in 1768 opgericht door George Taylor en Alexander Milne als Milltown. In die tijd stond de stad Keith bekend om zijn linnenfabrieken. De distilleerderij werd beheerd door enkele plaatselijke zakenlieden en in 1830 verkocht aan William Longmore. Onder zijn beheer groeide de distilleerderij. Hij stierf in 1882, waarna de naam veranderd werd in Strathisla. Er werd een grondige verbouwing uitgevoerd: er kwam een waterrad om de machines aan te drijven en er werd een oven met pagodes gebouwd. In 1946 werd het bedrijf een B.V. onder het beheer van George Pomeroy, een geldschieter uit Londen. Hij werd veroordeeld voor belastingontduiking en het bedrijf werd in 1949 gesloten. In 1950 werd het ver-

feiten

- 1786
- Seagram Co. Ltd.
- Norman Green
- Fons Bulliens' Well
- 2 wash, 2 spirit
- NB
- Feb.-half maart en nov. ma.-vrij. 09.30-16.00; half maart-eind okt. ma.-za. 09.30-16.00 en zo. 12.30-16.00
  Entree £ 4.00, met tegoedbon van £ 2.00 voor de winkel; gratis koffie met een koekje.

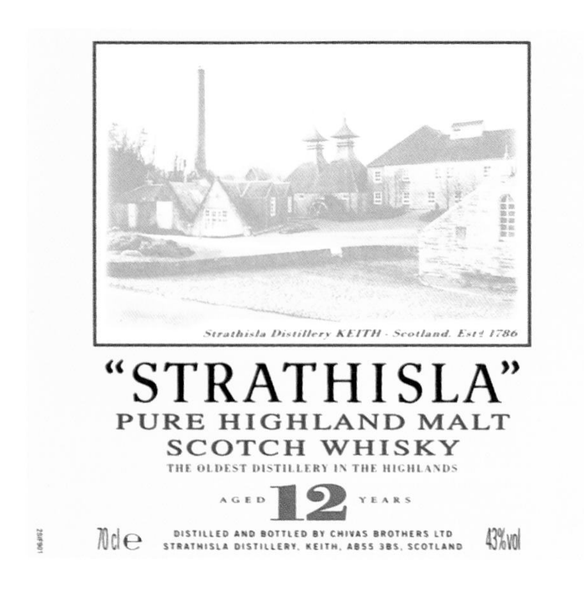

kocht aan Chivas Brothers. Strathisla is een van de belangrijkste malts in de Chivas Regal en de meest verkochte Schotse whisky ter wereld. Strathisla wordt door Seagram op de markt gebracht als onderdeel van hun Heritage Selection.

Strathisla is een kopergouden single malt.

leeftijd, bottelings, prijzen

Strathisla 12 jaar 43% in een opvallende, platte fles

proefrapport

LEEFTIJD: 12 jaar 43%

NEUS: mooi aroma vol zomerfruit en bloemen.

SMAAK: licht, zoet op de tong, met vleugje turf en karamel. Lange, soepele, fruitige afdronk.

Talisker

HIGHLAND — SKYE

TALISKER DISTILLERY, CARBOST, SKYE IV47 8SR

TEL: +44 (0)1478 640203; FAX: +44 (0)1478 640401

TALISKER, DE enige distilleerderij op het eiland Skye, werd in 1830 door Hugh en Kenneth MacAskill gebouwd aan de oever van Loch Harport. De MacAskills waren berucht op het eiland omdat ze pachters van hun land verjaagden, zodat Hugh Cheviot-schapen kon fokken. Ze hadden land gekocht rond het schiereiland Minginish, waarop Talisker House stond. Talisker ligt in een beschutte vallei aan de westkust van het eiland.

Het verhaal van Talisker zit vol onrust; het bedrijf kreeg om de haverklap een nieuwe eigenaar, tot het in 1925 bij de Distillers Company Ltd. terechtkwam. Talisker wordt door United Distillers op de markt gebracht als een van hun Classic Malts.

feiten

- 1830
- United Distillers
- Mike Copland
- Cnoc-nan-Speireag
- 2 wash, 2 spirit
- NB
- April-okt. ma.-vrij. 09.00-16.30, juli-aug. ook za. 09.00-16.30; nov.-maart 14.00-16.30 Grote groepen van tevoren bellen

leeftijd, bottelings, prijzen

Talisker 10 jaar

proefrapport

LEEFTIJD: 10 jaar

NEUS: vol, zoet maar turfachtig.

SMAAK: een mooi ronde, smaakvolle malt met turf, honing en lange afdronk. Een goede all-round malt; probeer hem eens voor het eten.

Tamdhu

SPEYSIDE

TAMDHU DISTILLERY, KNOCKANDO, ABERLOUR AB38 7RP
TEL: +44 (0)1340 870221; FAX: +44 (0)1340 810255

feiten

- 1896
- Highland Distilleries Co. Ltd.
- W. Crilly
- Eigen bronnen
- 3 wash, 3 spirit
- Mix van sherry en hergebruik
- Geen bezoekers

IN 1863 werd een nieuw stuk van de Strathspey-spoorweg geopend tussen Boat of Gaten en Craigellachie. Omstreeks 1890 werd blended whisky populair en investeerden veel zakenlieden in diverse nieuwe distilleerderijen. De nieuwe spoorweg maakte Upper Spey, een gebied dat al bekend stond om zijn kwalitatief goede malts, veel toegankelijker. Tamdhu werd in 1896 gebouwd door William Grant, een van de directeuren van Highland Distilleries. De hypermoderne distilleerderij beschikte over de laatste snufjes, zoals graanliften en mechanische schakelpanelen voor een efficiënte productie.

Zoals zo veel distilleerderijen had Tamdhu te lijden van de oorlog en de crisistijd. Het bedrijf was van 1928 tot na de Tweede Wereldoorlog gesloten; daarna werd de productie hervat. In 1972 werd het aantal ketels verhoogd van twee naar vier en in 1975 naar zes. In 1976 werd Tamdhu (Gaelic voor 'kleine donkere heuvel') gelanceerd als single malt.

leeftijd, bottelings, prijzen

Tamdhu wordt zonder leeftijd gebotteld door Highland Distilleries

Tamdhu is de enige distilleerderij in Speyside die haar gerst zelf mout. Tamdhu single malt heeft een zacht amberkleurige tint en een frisse, aromatische smaak die doet denken aan zomerse boomgaarden en bloemen.

proefrapport

LEEFTIJD: zonder leeftijd 40%

NEUS: licht, warm aroma met een vleugje honing.

SMAAK: gemiddeld vol van smaak, fris op het gehemelte met boventonen van appel en peer en een lange, zachte afdronk. Geschikt voor elk moment van de dag.

Teaninch

HIGHLAND

TEANINCH DISTILLERY, ALNESS, ROSS-SHIRE IV17 0XB
TEL: +44 (0)1349 882461; FAX: +44 (0)1349 883864

DEZE DISTILLEERDERIJ ligt aan de rivier de Alness, vlak bij Cromarty Firth. Ze is in 1817 gebouwd door kapitein Hugh Munro, eigenaar van het landgoed Teaninch. In het begin kon hij moeilijk aan gerst komen, omdat de illegale stokers het meeste kregen. Maar omstreeks 1830 was de productie 30 keer zo groot. Luitenant-generaal John Munro nam de distilleerderij over, maar omdat hij veel in India zat, sloot hij in 1850 een huurovereenkomst met Robert Pattison. Vanaf 1869 pachtte John McGilchrist Ross het bedrijf; hij hield het in 1895 voor gezien. De distilleerderij werd in 1898 overgenomen door Munro & Cameron uit Elgin, waarna ze werd gerenoveerd en uitgebreid. In 1904 werd Innes Cameron de eigenaar (hij had ook belangen in Benrinnes, Linkwood en Tamdhu). In 1933, een jaar na de dood van Cameron, verkochten zijn executeurs Teaninch aan Scottish Malt Distillers Ltd.

feiten

- 1817
- United Distillers
- Angus Paul
- De Dairywell Spring
- 3 wash, 3 spirit
- NB
- Geen bezoekers

leeftijd, bottelings, prijzen

Teaninch 10 jaar

Teaninch 23 jaar gedistilleerd in 1972

64,95% beperkte editie

United Distillers Rare Malts Selection

RARE MALTS
SELECTION

Each individual vintage has been specially selected from Scotland's finest single malt stocks of rare or now silent distilleries. The limited bottlings of these scarce and unique whiskies are at natural cask strength for the enjoyment of the true connoisseur.

NATURAL
CASK STRENGTH
SINGLE MALT
SCOTCH WHISKY
AGED 23 YEARS
DISTILLED 1972
TEANINICH
DISTILLERY
ESTABLISHED 1817
ALNESS, ROSS-SHIRE
64.95% Alc/Vol (129.9 proof) 750ml
PRODUCED AND BOTTLED
IN SCOTLAND
LIMITED EDITION
BOTTLE Nº 6552

proefrapport

LEEFTIJD: 23 jaar, gedistilleerd in 1972 64,95%

NEUS: licht, turfachtig.

SMAAK: rook en eik, met een lange, zachte afdronk.

Tobermory

HIGHLAND — MULL

TOBERMORY DISTILLERY, TOBERMORY, ISLE OF MULL,
ARGYLLSHIRE PA75 6NR
TEL: +44 (0)1688 302645; FAX: +44 (0)1688 302643

TOBERMORY LIGT op een van de mooiste plekjes aan de zuidkant van de beroemde haven op het eiland Mull. De distilleerderij, de enige op het eiland, werd in 1795 opgericht door John Sinclair, een plaatselijke koopman, en werd in 1823 volledig operationeel. Volgens de archieven kreeg Sinclair het land in 1823 toegewezen voor 'Uitbreiding van de Visserij en Verbetering van de Zeekusten van het Koninkrijk'. De distilleerderij lag stil tussen 1930 en 1972 en ging weer open als Ledaig Distillery (Tobermory) Ltd. Het bedrijf werd in 1978 gekocht door de Kirkleavington Property Co. uit Yorkshire. In 1989 ging de zaak weer dicht en 4 jaar later was Burn Stewart Distillers de nieuwe eigenaar.

Tobermory is een licht strokleurige malt in een opvallende groene fles met witte letters. De gerst voor Tobermory wordt niet boven turfvuur gedroogd. Bij sommige distillaties gebeurt dit echter

feiten

- 1795
- Burn Stewart Distillers Plc.
- Ian MacMillan
  Assistent: Alan MacConochie
- Eigen meer
- 2 wash, 2 spirit
- Hergebruik
- April-sept.
  ma.-vrij.
  10.00-16.00

wel en deze worden gebotteld als Ledaig, hoewel enkele oudere bottelings van Tobermory ook Ledaig heetten. Alle toekomstige bottelings van Ledaig worden gemaakt met boven turfvuur gedroogde gerst. Ledaig is een warme, goudkleurige malt.

leeftijd, bottelings, prijzen

Tobermory zonder leeftijd 40%

Ledaig 1974 Vintage 43%

Ledaig 1975 Vintage 43%

proefrapport

LEEFTIJD: Tobermory zonder leeftijd 40%

NEUS: het eiland in een fles: een licht, zacht, heideachtig aroma.

SMAAK: lichte malt met ondertonen van honing en kruiden en een zachte, rokerige afdronk.

LEEFTIJD: Ledaig 1974 Vintage 43%

NEUS: vol, met een krachtig, turfachtig aroma.

SMAAK: zeer smaakvol, met turf en een vleugje sherry. Een lange, zachte afdronk.

Tomatin

HIGHLAND

TOMATIN DISTILLERY, TOMATIN, INVERNESS-SHIRE IV13 7YT
TEL: +44 (0)1808 511444; FAX: +44 (0)1808 511373

TOMATIN BEVINDT zich zo'n 300 m boven de zeespiegel. Het bedrijf werd opgericht in 1897, ging failliet in 1906 en ging weer open in 1909. In 1956 ging het aantal ketels van twee naar vier en vanaf dat moment kwamen er regelmatig ketels bij – in 1974 stonden er 23. Dit is dus een van de grootste distilleerderijen van Schotland. Nog een record: dit is de eerste Schotse distilleerderij die werd gekocht door een Japans bedrijf, want het is inmiddels een dochteronderneming van Takara Shuzo & Okura.

feiten

- 1897
- Takara Shuzo & Okura & Co. Ltd.
- T.R. McCulloch
- Allt na Frithe Burn
- 12 wash, 11 spirit
- NB
- Ma.-vrij. 09.00-16.30; za. mei-okt. 09.30-13.00
  Bellen voor grote groepen en in dec. en jan.

leeftijd, bottelings, prijzen

Tomatin 10 jaar 40%

Beperkte editie 25 jaar

Export 10 en 12 jaar

proefrapport

LEEFTIJD: 10 jaar 40%

NEUS: verfijnd aroma, met een vleugje honing en rook.

SMAAK: licht en soepel, met een vleugje turf.

Tomintoul

SPEYSIDE

TOMINTOUL, BALLINDALLOCH, BANFFSHIRE AB37 9AQ
TEL: +44 (0)1807 590274; FAX: +44 (0)1807 590342

TOMINTOUL IS een moderne distilleerderij die dateert van 1964. Het stadje Tomintoul is het op een na hoogst gelegen dorp in Schotland, op 1100 voet (ca. 330 m). Het plaatsje was vroeger berucht omdat er op grote schaal illegaal werd gestookt. De distilleerderij valt een beetje uit de toon in dit prachtig beboste, bergachtige gebied. Ze werd opgericht door twee whiskyhandels uit Glasgow, Hay & Macleod Ltd. en W. & S. Strong Ltd. In 1973 werd de distilleerderij gekocht door Scottish & Universal Investment Trust; nu maakt ze deel uit van de malt whisky's van de Whyte & Mackay Group. In 1974 werd het aantal ketels verdubbeld van twee naar vier.

Tomintoul heeft een warme kopergouden kleur.

feiten

- 1964
- J.B.B. (Greater Europe) Plc.
- R. Fleming
- Ballantruan Spring
- 2 wash, 2 spirit
- NB
- Geen bezoekers

leeftijd, bottelings, prijzen

Tomintoul 12 jaar

Tomintoul 10 jaar 40% in G-B

proefrapport

LEEFTIJD: 10 jaar 40%

NEUS: licht, sherry.

SMAAK: zoet op de tong met rokerige ondertoon.

The Tormore

SPEYSIDE

ALLIED DISTILLERS LTD., TORMORE DISTILLERY, ADVIE,
GRANTOWN-ON-SPEY, MORAY PH26 3LR
TEL: +44 (0)1807 510244; FAX: +44 (0)1807 510352

TORMORE WAS de eerste nieuwe distilleerderij die in de 20e eeuw in Schotland werd gebouwd. Het gebouw werd ontworpen door Sir Alfred Richardson en is een waar sieraad. De gebouwen en huizen zijn rond een vierkante ruimte gebouwd. Het landelijk gelegen Tormore heeft minutieus ontworpen tuinen met een meer, fonteinen en snoeiwerk; alles wordt omringd door met dennen begroeide heuvels. De distilleerderij ligt aan de zuidkant van de A 95 tussen Grantown-on-Spey en Aberlour.

feiten

- 1959
- Allied Distillers Ltd.
- John Black
- De Achvochkie Burn
- 4 wash, 4 spirit
- NB
- Bellen voor een afspraak

leeftijd, bottelings, prijzen

Normaliter gebotteld bij 10 jaar en verkrijgbaar in G-B

Andere leeftijden en speciale bottelings bij Gordon & MacPhail

De distilleerderij werd gebouwd voor de Long John Group en hoort nu bij Allied Distillers. In 1972 werden de vier ketels verdubbeld naar acht. Tormore is een goudkleurige malt met een ronde smaak die met name na de maaltijd wordt aanbevolen.

proefrapport

LEEFTIJD: 10 jaar 40%

NEUS: een droog aroma met een iets nootachtige boventoon.

SMAAK: zacht op de tong, een uitgesproken malt met een vleugje honing.

Tullibardine

HIGHLAND

TULLIBARDINE DISTILLERY, BLACKFORD, PERTHSHIRE PH4 1QG
TEL: +44 (0)1764 682252

IN DE ARCHIEVEN staat duidelijk dat er in 1798 al een distilleerderij was die Tullibardine heette, maar de exacte locatie ervan is onbekend. Deze distilleerderij sloot in 1837. De huidige Tullibardine werd in 1949 gebouwd door Delme Evans en C.I. Barratt op de plek van een voormalige brouwerij. In 1953 werd het bedrijf gekocht door whiskyhandelaar Brodie Hepburn uit Glasgow. In 1971 trad de distilleerderij toe tot Invergordon Distillers (Holdings) Ltd., nu Whyte & Mackay. In 1973 vond een grondige verbouwing plaats en kwamen er twee ketels bij. Hoewel de distilleerderij sinds januari 1995 in de mottenballen ligt, is er nog een grote voorraad van deze single malt.

feiten

- 1949
- Whyte & Mackay Group Plc.
- Ochil Hills
- 2 wash, 2 spirit
- Amerikaanse witte eik
- Geen bezoekers

proefrapport

LEEFTIJD: 10 jaar 40%

NEUS: licht, warm, zoet.

SMAAK: ronde malt met een vleugje fruit en specerijen; een lange, zoete afdronk.

Yoichi

JAPAN

Hokkaido Distillery, Kurokawa-cho 7 chome-6, Yoichi-cho,
Yoichi-gun, Hokkaido 046, Japan
tel: +81 (0)135 23 3131; fax: +81 (0)135 23 2202

TOEN MASATAKA Taketsuru terugkeerde uit Schotland, waar hij de whiskydistillatie had bestudeerd aan de universiteit van Glasgow, zocht hij de ideale locatie om een distilleerderij te beginnen. Hij vond die in Yoichi, op het eiland Hokkaido. De locatie wordt aan drie kanten door bergen omringd en aan de vierde kant ligt de oceaan. Hokkaido, het noordelijkste eiland van Japan, heeft koele, schone lucht en veel water uit ondergrondse bronnen dat door turfvelden omhoog komt.

De distilleerderij werd in 1934 gebouwd en produceert een koperkleurige single malt whisky.

feiten

- 1934
- Nikka Whisky Distilling Co. Ltd.
- Hiroshi Hayashi
- Ondergr. bronnen
- 4 wash, 3 spirit
- Mix van sherry, bourbon, hergebruik en nieuw
- Hele jaar geopend

leeftijd, bottelings, prijzen

Yoichi wordt gebotteld op 12 jaar;
jaarlijks 10.000 flessen
De whisky is normaliter alleen in Japan verkrijgbaar

proefrapport

LEEFTIJD: 12 jaar
NEUS: turfachtig, vleugje sherry.
SMAAK: vol, met turfachtige smaak en lange afdronk.

Nieuwe
distilleerderijen,
zeldzame malts,
likeuren

Nieuwe distilleerderijen

Er zijn drie nieuwe distilleerderijen, Balblair en Old Pulteney zijn niet echt nieuw, maar hebben wel een nieuwe eigenaar die de eerste malts nog moet bottelen.

Kininvie

SPEYSIDE

KININVIE DISTILLERY, DUFFTOWN, KEITH,
BANFFSHIRE AB55 4DH

Deze distilleerderij werd in 1990 opgericht door William Grant & Sons Ltd., waartoe ook Glenfiddich en Balvenie behoren. Het bedrijf heeft 8 ketels en staat onder leiding van de heer White. Met zulke indrukwekkende eigenaren moet daar wel een heel bijzondere malt vandaan komen.

Old Pulteney

HIGHLAND

PULTENEY DISTILLERY, HUDDART STREET, WICK,
CAITHNESS KW1 5BD
TEL: +44 (0)1955 602371 FAX: +44 (0)1993 602279

Old Pulteney werd vorig jaar door Inver House Distillers Ltd. gekocht. De distilleerderij werd in 1826 opgericht door James Henderson, toen Wick een welvarende havenstad was waar met name op haring werd gevist. Old Pulteney was eerst van Allied Distillers; bij Gordon & MacPhail zijn voorraden Old Pulteney te koop van 8 en 15 jaar.

Balblair

HIGHLAND

BALBLAIR DISTILLERY, EDDERTON, TAIN, ROSS-SHIRE
IV19 1LB
TEL. +44 (0)1862 821273 FAX: +44 (0)1862 821360

In 1996 kocht Inver House Distillers Ltd. ook deze distilleerderij van Allied Distillers. Balblair bestaat al sinds 1790 en is daarmee een van de oudste distilleerderijen van Schotland. Inver House bekijkt momenteel de voorraden om te bepalen wat de beste leeftijd is voor een single malt. 'Oude' Balblair is nog verkrijgbaar bij gespecialiseerde drankhandels.

Zeldzame malts

Sommige single malt whisky's hebben namen die in het geheugen blijven hangen, maar zijn niet bij de eerste de beste drankwinkel te krijgen. Hieronder vindt u de distilleerderijen die voorgoed gesloten zijn, in de mottenballen liggen en nog weinig voorraad hebben, of alleen voor blends leveren. Vaak zijn malt whisky's alleen als speciale botteling te koop en moeilijk te vinden.

Allt-a-Bhaine

Deze distilleerderij hoort bij Seagram Distillers Plc. en werd opgericht in 1975. De malt wordt alleen gebruikt in de blended whisky's van dit bedrijf.

Balmenach

Balmenach hoorde bij United Distillers en werd in 1993 in de mottenballen gelegd. Balmenach is een malt uit Speyside; de 12 jaar oude van 43% is goed verkrijgbaar.

Banff

Deze Highland-distilleerderij werd in 1983 gesloten en ontmanteld. Een zeldzame malt whisky die verkrijgbaar is bij Gordon & MacPhail en Cadenheads.

Braeval

Braeval hoort bij Seagram Distillers Plc. en werd opgericht in 1973. De malt wordt uitsluitend gebruikt voor de blended whisky's van dit bedrijf.

Coleburn

Deze Speyside-distilleerderij van United Distillers is in 1985 definitief gesloten. Bij Gordon & MacPhail is nog wat Coleburn 1972 te krijgen.

Glen Albyn

Deze Highland-distilleerderij werd in 1986 ontmanteld. Glen Albyn is te koop bij Gordon & MacPhail en Cadenheads.

Glenglassaugh

Glenglassaugh werd in 1986 in de mottenballen gelegd en hoort bij de Highland Distilleries Company Plc. Glenglassaugh is een Highland-malt en de Glenglassaugh 1983 is te koop bij Gordon & MacPhail.

Glen Mhor

Deze distilleerderij werd in 1983 gesloten en in 1986 ontmanteld. Voorraden Glen Mhor zijn verkrijgbaar bij Gordon & MacPhail.

Glen Scotia

Deze Campbeltown-distilleerderij, die toebehoort aan Loch Lomond Distillery Co. Ltd., ligt sinds 1994 in de mottenballen. Voorraden Glen Scotia 14 jaar zijn nog te koop; deze malt whisky wordt op 40% in eigen land verkocht en op 43% in de export.

Glenugie

Gesloten in 1983, alleen verkrijgbaar bij Cadenheads.

Glenury Royal

Dit United Distillers-bedrijf maakte malt whisky en werd in 1985 definitief gesloten. De 12 jaar oude malt van 40% is verkrijgbaar.

Inverleven

Inverleven is van Allied Distillers en onderdeel van hun graandistillatiecomplex in Dumbarton – op het punt waar de rivier de Leven in de Clyde uitmondt. Inverleven ligt sinds 1989 in de mottenballen. Voorraden van de 1984 zijn verkrijgbaar bij Gordon & MacPhail.

Littlemill

Deze Lowland-distilleerderij, eigendom van Loch Lomond Distillery Co. Ltd., werd in 1992 in de mottenballen gelegd. Voorraden van 8 jaar oude van 40% (eigen land) en 43% (export) zijn goed verkrijgbaar.

Lochside

Deze distilleerderij van Allied Distillers bevindt zich in Montrose en werd in 1991 gesloten. Van de 10 jaar oude Lochside zijn voorraden te koop bij de distilleerderij.

Millburn

Deze distilleerderij ging in 1985 dicht en werd in 1988 ontmanteld. Sommige voorraden van deze Highland-malt zijn verkrijgbaar bij Gordon & MacPhail.

Pittyvaich

Deze distilleerderij van United Distillers ligt sinds 1993 in de mottenballen, hoewel er nog Pittyvaich 12 jaar 43% verkrijgbaar is.

Port Ellen

Deze Islay-distilleerderij van United Distillers werd in 1983 gesloten. Voorraden van Port Ellen 1979 zijn te koop bij Gordon & MacPhail. Port Ellen was omstreeks 1840 de eerste distilleerderij die rechtstreeks naar Amerika exporteerde.

St. Magdalene

Deze Lowland-distilleerderij werd in 1983 gesloten en is omgebouwd tot een appartementencomplex. St. Magdalene 1966 is nog verkrijgbaar bij Gordon & MacPhail.

Spey Royal

De firma International Distillers & Vintners gebruikt deze malt uit hun Glen Spey-distilleerderij in Rothes voor hun blended whisky's.

Tamnavulin

Tamnavulin behoort tot de J.B.B. (Greater Europe) Plc. en is in 1995 in de mottenballen gelegd. Van Tamnavulin 10 jaar 40% zijn nog enkele flessen te koop.

De bar in hotel Athenaeum.

Likeuren

Er zijn verrassend veel likeuren, zowel Schotse als Ierse.

Likeuren uit Schotland

Drambuie

Ook verkrijgbaar in miniatuurflesjes; bevat 40% alcohol. Drambuie wordt aangeprezen als Bonnie Prince Charlie's likeur. Het recept schijnt te zijn doorgegeven aan kapitein John Mackinnon als dank voor zijn loyaliteit tijdens de strijd bij Culloden in 1746. Drambuie is een zoete likeur met honing- en fruitsmaken.

Dunkeld Atholl Brose

Atholl Brose is een traditioneel recept; een mengsel van tarwemeel, honing, water en whisky. Dunkeld Atholl Brose wordt geproduceerd door Gordon & MacPhail en wordt 12 jaar oud verkocht met een alcoholgehalte van 35%.

Glayva

Glayva wordt op de markt gebracht door de Whyte & Mackay Group. Glayva (Gaelic voor 'heel goed') is een zoete likeur voor na het eten; hij heeft een gladde textuur en een vleugje citrus.

The Glenturret

Original Single Malt Liqueur

Glenturret bestaat sinds 1775 en is daarmee een van de oudste distilleerderijen. De uitstekende single malt wordt gebruikt voor de Glenturret Malt Liqueur, die met kruiden wordt gemengd. Deze heerlijke likeur laat zich goed mixen met soda of limonade, waarna u een lekker frisse drank hebt.

Heather Cream Liqueur

Heather Cream is van Inver House Distillers. Dit bedrijf is ook eigenaar van An Cnoc, Speyburn, Pulteney en Balblair. Heather Cream, een zoete likeur, is een combinatie van room en malt whisky.

Stag's Breath Liqueur

Deze onaantrekkelijke naam is afkomstig uit Sir Compton Mackenzie's boek *Whisky Galore*, gebaseerd op het zinken van de S.S. Politician, waarbij veel whisky verloren ging. Mackenzie noemde een van de whisky's die was verdwenen Stag's Breath. Stag's Breath is een combinatie van Speyside-whisky en honing.

Wallace

Single Malt Liqueur

Deze likeur wordt op de markt gebracht door Burn Stewart Distillers. Hij wordt gemaakt van Deanston single malt whisky en een mengsel van bessen en kruiden. Wallace kan als warm, verkwikkend digestief worden gebruikt, maar u kunt hem ook mixen met soda, vruchtensap en ijs.

Likeuren uit Ierland

Baileys

Baileys Original Irish Cream wordt in Dublin geproduceerd door R. & A. Bailey & Co. en heeft een leidende marktpositie. Baileys, een zoete likeur met honing, chocola en whisky, heeft een alcoholgehalte van 17%. Baileys Light, een minder vette en minder calorieën bevattende versie, vindt in Amerika gretig aftrek.

Carolans

Carolans Irish Cream Liqueur werd in 1978 voor het eerst op de markt gebracht en is een zeer populaire drank om de maaltijd te besluiten. Carolans levert ook Carolans Irish Coffee Cream, die voornamelijk in Amerika wordt verkocht.

Eblana

Eblana is een nieuwe likeur van Cooley, met een alcoholgehalte van 40% en een volle, zoete smaak.

Emmets

Deze 'cream liqueur' komt uit dezelfde stal als Baileys en is vernoemd naar Robert Emmet, een Ierse held die in 1803 werd geëxecuteerd wegens zijn aandeel in een opstand tegen de Britse overheersing.

Irish Mist

Irish Mist wordt geproduceerd door hetzelfde bedrijf als Carolans en is al sinds begin jaren vijftig in de handel. Irish Mist is een smaakvolle likeur met kruiden, honing en whisky.

Sheridans

Sheridans wordt gebotteld in opvallende flessen; de vanilleversie bevat 17% alcohol, de koffie-chocolaversie bevat 19,5% alcohol. Dit derde product van Baileys is rijk en verwarmend.

Appendix

Glossarium

Schotse geografische termen

Ben — Heuvel of berg

Burn — Beek

Loch — Een meer, waar soms een rivier doorheen stroomt, vaak omringd door bergen.

Paps — Bergen, met name geassocieerd met de Paps of Jura, drie hoge bergen op het eiland Jura langs de westkust van Schotland.

Rill — Een klein stroompje.

Termen op het gebied van distilleren

Beslag — Mout vermengd met heet water in een moutkuip (*mash tun*).

Cask strength whisky — Deze whisky wordt verkocht met het alcoholgehalte waarmee hij uit het vat komt. Cask strength is normaliter 60% of 120° proef.

Coffey-ketels — Aeneas Coffey vond in 1831 de Coffey-ketel uit. Het principe is eenvoudig: een constante productie van alcohol zonder de ketels steeds te hoeven legen en bijvullen. Grain Whisky wordt in een Coffey-ketel geproduceerd en bevat altijd zo'n 25% gemoute gerst, aangevuld met ongemoute gerst en maïs. Gisting verloopt zoals in de inleiding staat beschreven. Het mengsel wordt in een constante stroom geproduceerd en in een grote zuil (rectifier) gepompt waar het in een zigzagpatroon doorheen stroomt. Het wort wordt vervolgens door een aantal geperforeerde platen gepompt, terwijl er tegelijkertijd van onderaf stoom omhoog wordt geperst. De stoom neemt de alcohol mee naar boven en de *spent lees* blijft op de bodem achter. De alcoholdamp wordt naar de bodem van de rectifier gebracht, waarna de alcohol condenseert in de zuil; hij wordt daar opgevangen en verwijderd om te rijpen. Coffey-ketels zijn 10-15 m hoog. Ze worden niet gebruikt voor de productie van single malt whisky's.

Customs & Excise Officer's House Toen er eenmaal vergunningen werden gegeven voor het distilleren van whisky, begon de Britse belastingdienst de productie te controleren. Om er zeker van te zijn dat alles volgens de wet verliep, woonden de belastingambtenaren dicht bij de distilleerderijen (er werd vaak speciaal een huis voor hen gebouwd). Tegenwoordig gebeurt dat niet meer; het is nu de taak van de directeur om de whiskyproductie te controleren en te registreren.

Draff Vaste bestanddelen die onderin de wortkuip blijven zitten; ze worden verwijderd en als veevoer gebruikt.

Drievoudige distillatie Als een single malt whisky drie keer wordt gedistilleerd, wordt de *spirit still* twee keer gebruikt.

Feints of naloop Nadat de zuivere alcohol uit de ketel is gelopen, wordt de gecondenseerde damp onzuiver. Deze naloop wordt niet gebruikt.

Foreshots of voorloop De eerste vloeistof die in de spirit-ketel wordt geproduceerd als de stoom begint te condenseren. De voorloop wordt troebel als er water wordt toegevoegd omdat de alcohol nog onzuiver is.

Gemoute gerst Gekiemde mout wordt gemoute gerst genoemd als de enzymen in de gerst zijn vrijgekomen, waardoor de gerst een moutige smaak krijgt.

Kolen- en stoomketels De ketels worden aan de basis verhit, zodat de vloeistof erin warm wordt en de alcoholdampen opstijgen. In Schotland werden de eerste stookketels verhit met kolen of stoom.

Kuiper Vakman die houten kuipen en vaten maakt en repareert.

Lyne arm Aan de bovenkant van een *pot still* zit een buis waardoor de alcohol in de *spirit still* terechtkomt. De vorm van deze buis varieert en draagt volgens distilleerders bij aan het uiteindelijke karakter van de whisky. Een van deze vormen is de *lyne arm.*

Mash tun of moutkuip Grote ronde, vaak koperen kuipen met een deksel. Mechanische armen draaien rond om de gerst goed met het kokende water te

	mengen. Onderin de kuip zitten filterpanelen waardoor de vloeistof wegloopt; de vaste bestanddelen blijven dan in de moutkuip achter.
Mottenballen	Sommige distilleerderijen worden een tijdje gesloten, maar kunnen elk moment weer opengaan. In de Schotse whiskybranche zegt men dat deze bedrijven 'in de mottenballen' liggen; alles wordt perfect onderhouden tot de productie hervat wordt.
Moutoven	Een traditionele methode om gemoute gerst te drogen is met behulp van rook uit een –meestal met turf gestookte– oven. De rook filtert door een fijn rooster naar de gerst erboven.
Moutvloer	In een traditionele distilleerderij wordt de gerst 2-3 dagen in water gedrenkt en daarna op een stenen moutvloer uitgespreid tot hij kiemt.
Saladin-systeem	Een mechanische methode om de gerst te laten kiemen. De gerst gaat in grote rechthoekige bakken, waarna er lucht van een bepaalde temperatuur doorheen wordt geblazen. Het graan wordt mechanisch gekeerd.
Single cask whisky	Dit is whisky uit slechts één vat die meestal in een beperkte genummerde editie wordt gebotteld. Deze single malt wordt op cask strength gebotteld of eerst verdund tot 40% of 80° proef.
Spent lees	Afval van de distillatie.
Spirit stills	Deze ketels worden gebruikt voor de tweede distillatie; hierna wordt de alcohol in vaten gedaan.
Stookketels	Deze zijn traditioneel van koper gemaakt; bij de productie van malt whisky worden ze *pot stills* genoemd. *Pot stills* produceren niet continu alcohol maar in 'porties'.
Vaten of fusten	Distilleerderijen gebruiken verschillende typen vaten waarin ze hun whisky laten rijpen:

Type vat:	Inhoud in Amerikaanse gallons:
Vat	100
Okshoofd	60-70
Amerikaanse ton	35-42
Kwart	27-34

Wash of wort De vloeistof die uit de *mash tun* of moutkuip komt, heet *wash* – de Nederlandse term daarvoor is wort.

Washbacks Dit zijn grote, meestal houten bakken met een inhoud van 3.000-15.000 gallons. Nadat het wort in de *washbacks* is gepompt, wordt er gist toegevoegd om de suikers in alcohol om te zetten.

Wash stills De gegiste vloeistof uit de *washbacks* wordt in deze ketels gepompt voor de eerste distillatie; nu wordt de alcohol van de overige bestanddelen gescheiden.

Aandachtspunt

Beeching 1967 Dr. Thomas Beeching was verantwoordelijk voor de rationalisatie van de spoorwegen in het Verenigd Koninkrijk in 1967. Dit hield in dat talloze kleine lijnen werden gesloten, waardoor afgelegen gemeenten hun enige transportmiddel kwijtraakten.

Recepten met whisky

Whisky wordt meestal voor of na het diner gedronken. Veel mensen houden ook van cocktails met whisky, en bovendien kan whisky tijdens de maaltijd worden genuttigd. In Schotland is St. Andrew's Night daar een ideale gelegenheid voor (St. Andrew is de beschermheilige van Schotland). Ook traditioneel is het Burns' Supper op 25 januari. Robert Burns (1759-1796) was een beroemde Schotse dichter die regelmatig over whisky schreef, met name in het nieuwjaarslied *Auld Lang Syne,* waarin de *cup o'kindness* slaat op een glas Schotse whisky. Bij dergelijke feestelijkheden wordt *haggis* geserveerd, een grote worst met uien, specerijen, tarwemeel en lamsvlees, waar een glas whisky overheen wordt gegoten.

Cocktails

whisky collins

1 maatje Schotse whisky
1 el suikerstroop
Club soda
Sap van 1/2 citroen
Angostura Bitters

Doe wat ijs en het citroensap in een hoog glas. Voeg de suikerstroop en de whisky toe. Vul de cocktail aan met club soda en een paar druppels Angostura. Doorroeren en serveren met een schijfje citroen.

john milroy's grog

1 tl honing
1 maatje malt whisky
1 maatje groene gemberwijn
Sap van 1/2 citroen
1 kruidnagel
Kokend water

Laat de honing oplossen in een scheutje heet water. Doe de kruidnagel, het citroensap, de whisky en de gemberwijn erbij. Doorroeren en aanvullen met 3 maatjes kokend water.

bobby burns

1/2 maatje Schotse whisky
0,6 dl droge vermout
0,6 dl zoete vermout
Scheutje Benedictine

Roer alle ingrediënten door elkaar in een glas met fijngemalen ijs. Serveer de cocktail met een krul citroenschil.

ouderwetse scotch

1 maatje Schotse whisky
3 scheutjes Angostura Bitters
Suikerklontje

Doe de suiker in een glas. Giet daar de Angostura en wat water overheen, zodat de suiker oplost. Roer er de whisky en wat ijs door. Eventueel serveren met een schijfje sinaasappel en een kers.

Koken met whisky

Dat soepen, salades, biefstuk en desserts met whisky lekker zijn, verrast u misschien, maar het is echt waar! Blended whisky is goed genoeg voor voorafjes en hoofdgerechten, maar voor desserts is een single malt beslist de extra uitgave waard. De recepten hieronder zijn steeds voor 4 personen.

avocadococktail

2 avocado's, geschild en in blokjes gesneden
Sladressing van olijfolie, blended whisky, citroensap, mespuntje suiker, peper en zout
Sla

Schik de sla op vier borden, verdeel de avocado erover en besprenkel de avocado met de dressing.

gemarineerde champignons

250 g champignons
3 el whisky
3 el olie
Sap van 1/2 citroen
Mespuntje suiker
Enkele gekneusde korianderzaadjes
Peper, zout en gemengde kruiden

Meng alle ingrediënten in een kom en zet de kom afgedekt ongeveer 1 1/2 uur weg. Schep het mengsel af en toe door.

biefstuk met whisky

Bak uw biefstuk in een koekenpan, haal het vlees uit de pan en houd het warm in de oven. Zet de koekenpan weer op het vuur en giet er een maatje whisky in. Laat de drank iets inkoken en giet hem over de biefstuk. Eet smakelijk.

whiskypuddinkjes

2 el malt whisky
8 dl melk
2 dl slagroom
4 eierdooiers
3 el gezeefde sinaasappelmarmelade
Snufje nootmuskaat

Verhit de melk en de slagroom. Klop de eierdooiers, whisky, nootmuskaat en marmelade door elkaar en giet dit mengsel bij de melk. Verhit het mengsel voorzichtig au bain marie tot het een dikke, romige massa is geworden. Verdeel de pudding over vier kommetjes en laat hem afkoelen.

pasta met gerookte zalm

Whisky gaat fantastisch samen met kreeft, sint-jakobsschelpen en zalm.

300 g pasta (bijv. penne of rigatoni)
120 g gerookte zalm in dunne reepjes
6 dl slagroom
2 teentjes knoflook
30 g boter
1 ui, gesnipperd
Zout, peper
Parmezaanse kaas
1 maatje whisky

Verhit de slagroom en de knoflook tot de knoflook zacht is. Verwijder de teentjes en zet het vuur laag. Fruit de ui in de boter, voeg de slagroom toe en roer alles goed door elkaar. Laat de room al roerend indikken en voeg wat zout en peper en de whisky toe.

Kook intussen de pasta gaar in kokend water met een snufje zout en laat hem uitlekken. Schep de saus door de pasta, schep de zalm erdoor en serveer het gerecht zo heet mogelijk, bestrooid met wat parmezaanse kaas.

Single malt whisky proeven

Als u voor het eerst een single malt wilt proeven, is een hele fles nogal een uitgave. Er zijn ook miniatuurflesjes te koop, die een goed alternatief vormen. Bovendien hebben restaurants en hotels vaak een goede collectie single malts, zodat u er overal van kunt genieten en verschillende merken kunt uitproberen.

Hotels, restaurants en pubs in het Verenigd Koninkrijk

De meeste grote hotels hebben een goede collectie whisky's.

Hotel Athenaeum in Londen (zie blz. 237) heeft een heel bijzondere Malt Whisky Bar, met meer dan 70 verschillende malts. Bezoekers kunnen aan de bar een 'paspoort' krijgen waarin alle aangeboden whisky's staan. Zodra ze een bepaalde malt kiezen, komt er een stempel in. Bezoekers van de Nobody Inn in Doddiscombleigh in Devon kunnen ook uit een groot aanbod kiezen.

In Schotland hebben talloze hotels en *inns* single malts. De hotels Gleneagles en Turnberry hebben voor gasten een grote collectie. De Borestone Bar in Stirling heeft meer dan 1000 verschillende malts.

Hotels, restaurants en bars in Amerika

De meeste grote hotels in Amerika hebben een goede selectie Schotse whisky's. Omdat het roken van sigaren ineens heel populair is, zijn er enkele 'sigarenbars' gekomen, die ook een aantal single malts voor hun klanten hebben, bijvoorbeeld de Beekman Bar, Books and Club Macanudo in New York, Three of Clubs en Bar Marmont in Los Angeles, Berlin Bar in Miami Beach, Occidental Grill in San Francisco en Fumatore Cigar Bar & Club in Chicago.

Op blz. 254 vindt u een aantal restaurants.

Single malt whisky kopen

Whisky kopen in het Verenigd Koninkrijk

De meeste High Street-drankenhandels hebben een aantal single malts. Welke merken dat zijn, is afhankelijk van de winkel en het jaargetijde. Rond kerst zijn de meeste malts te krijgen. Oddbins heeft waarschijnlijk het grootste aanbod en vaak ook heel interessante aanbiedingen.

Er zijn enkele distilleerderijen die nooit meer malt whisky zullen produceren, zoals St. Magdalene – dat gebouw is nu een appartementencomplex. Bij andere distilleerderijen is het niet haalbaar de productie te hervatten. Maar voordat ze werden gesloten, is hun voorraad malt whisky in vaten gedaan. De whisky wordt nu geleidelijk gebotteld en verkocht. Deze speciale bottelings staan op blz. 235. Soms zijn er ook speciale bottelings van bijvoorbeeld één vat op een leeftijd die normaal niet te koop is. Deze zijn te vinden bij gespecialiseerde handelaren of verenigingen. De nu volgende lijst is niet compleet, maar geeft een indicatie waar een whiskyliefhebber verborgen schatten kan vinden.

Gordon & MacPhail uit Elgin is een familiebedrijf dat in 1895 werd opgericht. Ze hebben een gigantisch whisky-aanbod, onder andere het merk Connoisseurs Choice. Veel van de whisky's die onder deze naam worden verkocht, zijn normaliter niet te koop als single malt, omdat de productie alleen bestemd was voor blends of is gestaakt. Gordon & MacPhail heeft kort geleden de distilleerderij Benromach, die al jaren stil-lag, nieuw leven ingeblazen.

Cadenheads-whisky Het bedrijf brengt ook een serie *vatted malts* onder de naam Pride of the Regions. In hun winkel bij het kasteel van Edinburgh verkopen ze allerlei *cask strength*-malts (57%), vaak van leeftijden die nergens anders te krijgen zijn. Daarnaast heeft Gordon & MacPhail een aantal standaardbottelings die normaal gesproken 46% alcohol bevatten.

John Milroy (zie blz. 253) heeft zich kort geleden gevestigd als onafhankelijk bottelaar en tussenpersoon. Zijn producten zijn vast zeer de moeite waard.

The Scotch Malt Whisky Society (zie blz. 254) is opgericht in 1983 en biedt leden een aantal malts zo van het vat. Deze zijn aanzienlijk sterker dan standaardbottelings en omdat elk vat weer anders is, is het aanbod omvangrijk. De leden van deze vereniging, die een indrukwekkende basis in Leith heeft, de oude haven van Edinburgh, kunnen beschikken over een bar, een proeflokaal en andere faciliteiten. Er worden proeverijen georganiseerd door heel Engeland. Er zijn Scotch malt whiskyverenigingen in Frankrijk, Zwitserland, Nederland, Japan en Amerika. Informatie hierover is verkrijgbaar bij de administratie in Edinburgh.

Whisky kopen in Amerika

Veel Amerikanen kopen hun whisky bij gespecialiseerde drankenhandels in Groot-Brittannië, maar ook in Amerika zijn veel leveranciers die een grote verscheidenheid aan single malts en blended whisky's verkopen (zie blz. 254).

The Scotch Malt Whisky Society (zie blz. 254) publiceert regelmatig een nieuwsbrief, vergezeld van een overzicht van wishky's die op dat moment te krijgen zijn en die de lezers dan kunnen bestellen. Dat kan per post, telefoon of fax. Bestellingen van leden worden per koerier bezorgd via een geselecteerde drankenhandel in de eigen staat. Wie lid wordt, krijgt een fles van 750 ml van een uitzonderlijk zeldzame, unieke malt die nooit meer te krijgen is. Het lidmaatschap wordt jaarlijks verlengd en is niet duur.

Investeren in whisky

Bedrijven die niets met de whiskybranche te maken hebben, suggereren dat whisky kopen een lucratieve investering is. De Scotch Whisky Association heeft een folder uitgebracht, getiteld 'Persoonlijk investeren in vaten Schotse whisky', waarin investeerders worden gewaarschuwd: "De werkwijze in deze branche is niet bevorderlijk voor investeringen. Hij is onregelmatig en er is geen whiskybeurs waar kan worden gehandeld." Mijn advies luidt: wilt u een vat whisky kopen, ga uw gang, maar alleen voor uw eigen plezier en niet om er rijk van te worden. Wie een vat whisky koopt, moet er rekening mee houden dat u voor gebottelde whisky invoerrechten moet betalen tegen het geldende tarief, niet tegen het tarief van het tijdstip waarop het vat werd gekocht.

Whiskyveilingen

Christie's in Schotland organiseert van tijd tot tijd een whiskyveiling. Prijzen voor individuele flessen single malt kunnen enorm oplopen. Zo werd op 9 mei 1996 een fles van The Glenlivet Jubilee Reserve geveild, fles nummer 506, 25 jaar oud, 75° proef, verpakt in een houten presentatiedoos. Er werd $ 510 voor betaald. Op een veiling heeft de echte liefhebber de kans een heel speciale malt op de kop te tikken.

Beperkte edities, speciale bottelings en miniaturen

Voor mensen die een collectie willen aanleggen, is het vrij eenvoudig om speciale bottelings en beperkte edities te vinden. En wie weet, neemt de waarde van uw speciale fles toe. Drink de whisky dan niet op en houd de verpakking zo schoon mogelijk. Het verzamelen van miniaturen is ook spannend, omdat veel malts als souvenir worden gebotteld. Elke malt kan dus in vele verschillende flessen zitten.

Nuttige adressen

Het is onmogelijk alle distributeurs en verenigingen op het gebied van single malt whisky op te noemen. De lijst hieronder is een aardige internationale selectie naast de belangrijkste bedrijven in Groot-Brittannië. Er staan ook adressen bij waar u single malts kunt proeven en/of kopen.

Distributeurs

AUSTRALIE
Allied Domecq Spirits & Wine PTY Ltd.
Suite 704 7th Floor
7 Help Street
Chatswood
New South Wales 2067
Tel: +612 9411 7077
Fax: +612 9413 2902

Remy Australie Ltd.
484 Victoria Road
Gladesville
New South Wales 2111
Tel: +612 9816 5000
Fax: +612 9817 3170

DUITSLAND
Herman Joerss GmbH
Sohnleinstrasse 8
6200 Wiesbaden
Tel: +49 611 25002
Fax: +49 611 250420

FRANKRIJK
Baron Phillippe de Rothschild
France Distribution
64 Bis, Rue la Boetie
75008 Parijs
Tel: +33 1 44 132 020
Fax: +33 1 42 560 101

Remy Distribution France
126 Rue Jules Guesde
9230 Levallois-Perret
Tel: +33 1 4968 4968
Fax: +33 1 4370 4968

JAPAN
Berry Bros. & Rudd Ltd.
Shinwa Building
6F, 2-4 Nishi Shinjuku
3-chome, Shinjuku-ku
Tokyo

Nikka Whisky Distilling Ltd.
4-31 Minami Aoyanma
5-chome, Minato-ku 105
Tel: +81 3 3498 0331
Fax: +81 3 3498 2030

Pernod-Ricard Japan
K.K. 3rd Floor
Shinagawa NSS Building
13-1 Toranoman
5-chome, Minato-ku 105
Tel: +81 3 3359 2266
Fax: +81 3 3359 2224

Remy Japon K.K.
Mori Building 13/1
Toranomon 5-chome
Minato-ku, Tokyo
Tel: +81 3 5401 6272
Fax: +81 3 3434 8425

Suntory Limited Liquor Division 1-2-3
Motoakasaka Minato-ku
Tokyo 107
Tel: +81 3 3470 1183
Fax: +81 3 3470 1330

United Distillers Ltd.
Sumitomo Gotanda Building
1-1 Nishi Gotanda
7-chome
Shinagawa-ku 141
Tel: +81 3 3491 3011
Fax: +81 3 3492 1830

VERENIGD KONINKRIJK
Allied Distillers Ltd.
2, Glasgow Road
Dumbarton G81 1ND
Tel: +44 1389 765111
Fax: +44 1389 763874

Ben Nevis Distillery Ltd.
Lochy Bridge
Fort William PH33 6TJ
Tel: +44 1397 702476
Fax: +44 1397 702768

Berry Bros & Rudd Ltd.
3 St. James Street
Londen SW14 1EG
Tel: +44 171 396 9666

Burn Stewart Distillers Plc.
8, Milton Road
College Miton North
East Kilbride G74 5BU
Tel: +44 1355 260999
Fax: +44 1355 264355

The Chivas and Glenlivet Group
The Ark
201 Talgarth Road
Londen W6 8BN
Tel: +44 181 250 1801
Fax: +44 181 250 1722

Glenmorangie Plc.
Macdonald House
18, Westerton Road
Broxburn
West Lothian EH52 5AQ
Tel: +44 1506 852929
Fax: +44 1506 855055

Gordon & MacPhail
George House
Boroughbriggs Road
Elgin Moray IV30 1JY
Tel: +44 1343 545111
Fax: +44 1343 540155

Inver House Distillers Ltd.
Airdie
Lanarkshire ML6 8PL
Tel: +44 1236 769377
Fax: +44 1236 769781

JBB (Greater Europe) Plc
310 St. Vincent Street
Glasgow, G2 5RG
Tel: +44 141 248 5771
Fax: +44 141 221 1993

John Milroy
Tel: +44 171 287 4985

Justerini & Brooks Ltd.
8, Henrietta Place
Londen W1M 9AG
Tel: +44 171 518 5400
Fax: +44 171 518 4651

Matthew Gloag & Sons Ltd.
West Kinfauns
Perth PH2 7XZ
Tel: +44 1738 440000
Fax: +44 1738 618167

Morrison Bowmore Distillers Ltd.
Springburn Road
Carlisle Street
Glasgow G21 1EQ
Tel: +44 141 558 9011

United Distillers
Distillers House
33, Ellersly Road
Edinburgh Eh12 6JW
Tel: +44 131 337 7373
Fax: +44 131 337 0163

Whyte & Mackay
Dalmore House
310 St. Vincent Street
Glasgow G2 5RG
Tel: +44 141 248 5771
Fax: +44 141 221 1993

William Grant & Sons
Independence House
84, Lower Mortlake Road
Richmond, Surrey
TW9 2HS
Tel: +44 181 332 1188
Fax: +44 181 332 1695

VERENIGDE STATEN

Allied Domecq Spirit & Wine Ltd.
300 Town Center
Suite 3200
Southfield
Michigan 48075
Tel: +1 810 539 3218

Palace Brands Company
450 Columbus Boulevard
PO Box 778
Hartford
CT 06142-0778
Tel: +1 860 702 4421
Fax: +1 860 702 4489

Remy Amerique
1350 Avenue of the Americas
7th Floor
New York NY 10019
Tel: +1 212 399 9494
Fax: +1 212 399 2461

United Distillers
6, Landmark Square
Stamford CT 06901
Tel: +1 203 359 7100
Fax: +1 203 359 7196

Clubs en verenigingen

EUROPA
The Scotch Malt Whisky
Society Nederland
Vijfhuizenberg 103
Postbus 1812
4700 BV Roosendaal
Tel: 0165-533134
Fax: 0165-540067

The Scotch Malt Whisky
Society Zwitserland
Kraan & Richards
Imports
Gartenstrasse 99
CH-4052 Basel
Tel: +41 61 271 5460
Fax: +41 61 272 4123

The Scotch Whisky
Association
17, Half Moon Street
Londen W1Y 7RB
Tel: +44 171 629 4384
Fax: +44 171 493 1398

20, Atholl Crescent
Edinburgh EH3 8HF
Tel: +44 131 229 4383
Fax: +44 131 228 8971

The Scotch Malt Whisky
Society
The Vaults
87, Giles Street
Leith
Edinburgh EH6 6BZ
Tel: +44 131 554 4351
Fax: +44 131 555 6588

JAPAN
The Scotch Malt Whisky
Society Japan
15-32 Nakanocho 2-
chome
Mikakojimaku
Osaka 534
Tel: +81 6 351 9145
Fax: +81 6 351 9198

VERENIGDE STATEN
The Scotch Malt Whisky
Society
9838 West Sample Road
Coral Springs
Florida 33065
Tel: +1 954 752 7990
Fax: +1 954 752 8552

Winkels en bars

VERENIGD KONINK-
RIJK
Cadenheads Whisky
Shop
172 Canongate
Edinburgh EH8 5BH

Milroy's of Soho
3, Greek Street
Londen W1V 6NX

VERENIGDE STATEN
Keen's Chop House
72, West 36th Street
New York
The Post House
28 East 63rd Street
New York

Tavern on the Green
Central Park at 67th
Street

Morrell & Company
535 Madison Avenue
New York
Park Avenue Liquor Shop
292 Madison Avenue
New York

Sam's Wine Warehouse
1720 North Macey Street
Chicago

Sherry-Lehmann
679 Madison Avenue
New York

Fotoverantwoording:

De uitgever bedankt alle distilleerderijen en hun eigenaren voor het leveren van illustraties ter ondersteuning van hun vermelding in dit boek. Extra verantwoording van foto's is verschuldigd aan:
The Glenturret Distillery Co. blz. 1; Morrison Bowmore Distillers Ltd. blz. 9, 18, 19; Alastair Skakles blz. 1, 11; Matthew Gloag & Son blz. 12, 17, 20, 22, 25, 27; William Grant & Son blz. 13, 26 en zwart-wit-illustraties in deel I; Helen Arthur blz. 20 (b), 21; Allied Distillers Ltd. blz. 23; Life File Photographic Agency blz. 24, 28, 29, 31, 32, 33, 34, 35, 36, 38, 78, 91, 103, 117, 149, 180, 186, 197, 255; Edinburgh Crystal blz. 48 (l).

Hoewel er veel moeite is gedaan om alle bronnen te vermelden, verontschuldigt de uitgever zich voor eventuele hiaten.